ERNEST RICHER, S. J., D. ès L. (Ling.)

FRANÇAIS PARLÉ
FRANÇAIS ÉCRIT

Description du système
de la langue française contemporaine

DESCLÉE DE BROUWER
BRUGES - PARIS
1964

Cum permissu Superiorum

PRÉFACE À LA DEUXIÈME ÉDITION

La réédition de FRANÇAIS PARLÉ – FRANÇAIS ÉCRIT trouve sa justification dans l'accueil extrêmement favorable réservé à l'ouvrage dès sa première parution, dans l'utilisation directe qu'on a bien voulu en faire à différents niveaux de l'enseignement, et dans les résultats encourageants déjà obtenus par notre méthode d'analyse auprès d'enfants et d'adultes.

Le texte qu'on trouvera ici est celui de l'édition qui a précédé (Montréal, Centre Pédagogique des Jésuites Canadiens, 1963). Seules quelques retouches de détail ont été effectuées, qui ne changent en rien la teneur de l'ouvrage. De plus, afin d'assurer une meilleure intelligence et une exploitation plus facile de notre description, nous avons jugé utile d'ajouter quatre appendices et un index analytique.

Puisse cette nouvelle édition – revue et légèrement augmentée – servir plus efficacement encore la pédagogie du français !

E. R.

Montréal, le 19 mars 1964.

INTRODUCTION

De plus en plus on parle de *linguistique*, où l'on parlait de *grammaire*. Ce n'est pas là affaire de nomenclature seulement. Ce changement de nom recouvre une réalité bien plus importante : il s'agit d'un point de vue nouveau d'où est sortie une connaissance systématique des faits de langue.

Or, en ce domaine, *la perspective structurale* continue d'être extrêmement féconde, et notre pédagogie se montre ouverte aux indications de la science linguistique.

Concrètement, différents milieux nous ont demandé de songer à une méthode d'enseignement du français fondée sur les principes du structuralisme contemporain. Nous voulons bien acquiescer. Mais une telle tâche ne se réalise pas en un jour, ni sans expérimentations préalables. Certaines expérimentations ont déjà cours au niveau scolaire[1], et les pages qui suivent voudraient remplir une autre condition préliminaire : celle d'une intelligence structurale du fait linguistique français.

Pour arriver à l'intelligence la plus exacte possible de la langue française (indépendamment de tout ce que nous pouvons savoir, par ailleurs, de celle-ci), nous avons forgé de toutes pièces une méthode de description telle, qu'ELLE NE PRÉSUPPOSE RIEN, AU DÉPART : elle REÇOIT seulement les données qu'une langue veut bien livrer d'elle-même sur elle-même, sans se permettre rien de plus que de CLASSER ces données.

---

1. Depuis la première édition du présent ouvrage, on effectue également des expérimentations au niveau de l'enseignement aux adultes, à l'Université de Montréal.

La théorie des LIEUX LINGUISTIQUES appliquée au français a livré ce qu'on va lire dans les pages qui suivent. Nous n'y avons rien ajouté.

Ce qu'on trouvera ici pourrait donc s'appeler : UN AUTO-PORTRAIT DE LA LANGUE FRANÇAISE CONTEMPORAINE.

TABLEAU DES SYMBOLES PHONÉTIQUES (A. P. I.)
UTILISÉS DANS LE PRÉSENT OUVRAGE

A. *Symboles représentant des VOYELLES*

1 =	i	représente la voyelle dans	SI, MIS, GRIS ;
2 =	e		CHEZ, GRÉ, PRÉ ;
3 =	ɛ		CRAIE, PRÊT, METS ;
4 =	a		BAC, ARC, BAL ;
5 =	ɑ		GARS, BAS, MÂT ;
6 =	ɔ		TROC, COQ, BOL ;
7 =	o		DOS, TÔT, BEAU ;
8 =	u		MOU, FOU, DOUX ;
9 =	y		DU, BU, CRU ;
10 =	œ		ŒUF, VEUF, SEUL ;
11 =	ə		SE, CE, ME ;
12 =	ø		FEU, DEUX, EUX ;
13 =	ã		AN, BANC, CENT ;
14 =	ɛ̃		REIN, SAIN, BAIN ;
15 =	õ		BON, ROND, PONT ;
16 =	œ̃		BRUN, UN, L'UN.

B. *Symboles représentant des SEMI-VOYELLES*

17 =	j	représente le son initial dans	YEUX, YEN, YACHT ;
18 =	ɥ		HUIT, HUIS, HUÎTRE ;
19 =	w		OUI, OUATE, OUAILLES.

C. *Symboles représentant des CONSONNES*

20 = p	représente le son initial dans	PONT, PEU, PAIN ;
21 = t		TOUT, TU, TOIT ;
22 = k		CAMP, COL, QUAI ;
23 = b		BON, BU, BAIE ;
24 = d		DANS, DONT, DU ;
25 = g		GOÛT, GANT, GUEUX ;
26 = m		MAIN, MA, MOI ;
27 = n		NAIN, NU, NŒUD ;
28 = f		FEU, FOU, FUT ;
29 = v		VŒU, VOUS, VU ;
30 = s		SOU, SANG, SU ;
31 = z		ZUT, ZEND, ZINC ;
32 = ʃ		CHAT, CHANT, CHIEN ;
33 = ʒ		JEU, JOUE, GENTS ;
34 = l		LE, LOUP, LONG ;
35 = r		RUE, ROUE, RAIE ;
36 = ɲ	représente le son final dans	PAGNE, ROGNE, SAIGNE.

37 = :   représente *l'allongement* d'un son, et figure *après* le symbole de ce son : ɑ:ʒ (âge) – ɛ:z (aise) – y:r (hure) – i:v (Yves).

Notions préliminaires

LA THÉORIE DES «LIEUX LINGUISTIQUES»

0.1 Genèse et procédé de la théorie des LIEUX LINGUISTIQUES

En 1954, Émile Benveniste écrivait : « Les linguistes découvrent que la langue est un complexe de propriétés spécifiques à décrire par des méthodes qu'il faut forger[1]. » Cinq ans plus tôt, André Martinet avait déclaré, dans sa revue *Word*[2], que « les linguistes ne devraient jamais oublier qu'il n'appartient pas aux langues de se plier aux exigences d'une méthode descriptive, mais bien à la méthode descriptive elle-même de s'adapter aux caprices de la réalité linguistique ».

Pour divers motifs, aucune méthode de description linguistique, parmi toutes celles qu'on nous a proposées ces dernières années, ne nous a paru entièrement satisfaisante. Nos griefs? Réduisons-les à un seul : aucune de ces méthodes n'a résolument *abandonné* la segmentation du donné brut de la langue en *unités positives*. Même les théories apparemment les plus prometteuses – qu'on songe, en particulier, aux systèmes d'un Galichet, d'un Fries, d'un Tesnière – ne vont pas jusqu'au bout de leurs propres principes, pourtant si éclairants et si féconds.

Nous nous sommes nous-même penché sur la question, et de nos réflexions a germé la THÉORIE DES LIEUX LINGUISTIQUES, qui est une méthode de description assez souple pour embrasser n'importe quel système de langue, et assez précise pour rendre compte des nombreuses propriétés spécifiques de chaque système.

Or, nous dit R.-L. Wagner dans sa *Grammaire et Philologie*[3],

1. *Journal de Psychologie*, 1954 : 144.
2. 5.1 (1949) : 35. (Nous traduisons de l'anglais.)
3. I, 83.

« l'ambition de la linguistique statique est... d'opérer une analyse du donné brut que constitue une langue en se donnant en tout et pour tout comme hypothèse de départ la supposition qu'un système commande les actes de parole qui servent aux communications. Ce qui revient à dire qu'on ne doit rien trouver au terme de l'analyse sinon des rapports, des fonctions et des valeurs fournis par la langue elle-même, indépendamment de tout ce que nous pouvons savoir de son passé ou tirer par réflexion des effets dont elle est capable ».

Cette ambition est exactement celle de la théorie des LIEUX LINGUISTIQUES – et nous voudrions maintenant faire voir jusqu'à quel point notre théorie réalise cette ambition.

Poser comme hypothèse de départ « qu'un système commande les actes de parole » (cf. Wagner, ci-dessus), c'est envisager d'emblée la langue non comme une somme d'éléments, mais comme un ensemble organisé dans lequel chacune des unités constituantes est solidaire de toutes les autres et solidaire du tout. Et comme le système de la langue, à quelque niveau qu'on le prenne, suppose toujours à l'origine *un choix* de la part du sujet parlant, il importe de définir ce choix, ce qui ne peut se faire qu'en poussant l'analyse et l'observation jusqu'à une profondeur où seuls apparaîtront les ressorts les plus cachés de l'expression linguistique. Nous croyons que c'est un attribut de la théorie des LIEUX LINGUISTIQUES de pousser jusqu'à cette profondeur. Avec elle, en effet, NOUS ATTEIGNONS CE SANS QUOI IL N'Y AURAIT PAS DE RAPPORTS, DONC PAS DE SYSTÈME ; CE SANS QUOI IL N'Y AURAIT PAS DE CHOIX, DONC PAS DE LANGUE.

La théorie des LIEUX LINGUISTIQUES a donc pour tâche de scruter la nature du phénomène linguistique jusqu'en ses profondeurs les plus difficilement accessibles. Et pour atteindre à des résultats aussi exacts que tangibles, elle a décidé d'effectuer son analyse en partant du DONNÉ LINGUISTIQUE TOTAL tel qu'il est fourni par la langue parlée, pour aboutir, au terme de ses recherches, à la reconnaissance des unités constitutives du discours, variables selon les niveaux considérés. Le procédé de la théorie est donc très simple dans son ensemble : c'est une démarche du tout vers les parties, par la voie des fonctions déterminées au moyen des LIEUX LINGUISTIQUES.

Mais n'anticipons pas. Établissons d'abord les principes fondamentaux de la théorie.

0.2 Les 3 principes fondamentaux de la théorie des LIEUX LINGUISTIQUES

0.2.1 PREMIER PRINCIPE : deux termes, même immédiatement voisins dans un contexte phonique ou graphique, n'ont rien en commun que leur apparition simultanée, aussi longtemps qu'une *connexion* n'a pas été établie entre eux.

Rompus depuis notre enfance aux procédés de la langue que nous utilisons tous les jours, nous avons besoin de renouveler entièrement notre attention, pour nous rendre conscients des opérations nécessitées par l'acte de parole. Même les enfants distinguent sans difficulté PIERRE BAT PAUL et PAUL BAT PIERRE, de même que JE VIENS DE LA MAISON et LE TOIT DE LA MAISON. Pour arriver à bien saisir le mécanisme du langage, rien ne vaut l'examen des cas limites où l'amphibologie oblige le sujet parlant (et/ou l'auditeur) à réfléchir. Donnons comme exemple la phrase suivante, mise dans la bouche d'un enfant s'adressant à son père : « La nuit, disait-il, a donc un œil, puisque maman dit qu'elle n'a pas fermé l'œil de la nuit. » Dans son inexpérience des procédés du langage, l'enfant, en entendant sa mère dire qu'ELLE N'A-VAIT PAS FERMÉ L'ŒIL DE LA NUIT, avait spontané-ment établi une *connexion* entre ce qui lui apparaissait le terme L'ŒIL et le terme DE LA NUIT, sur le modèle de LE CHAPEAU DE GRAND-MÈRE, L'AUTO DE PAPA ou LA CHAISE DE BÉBÉ. L'adulte averti, lui, ne commet pas cette méprise : un instant (à la vérité extrêmement court) de réflexion permet à l'adulte de considérer FERMER L'ŒIL comme un seul terme, avec lequel DE LA NUIT, autre terme, entre en connexion avec valeur particulière. Autrement dit, le terme DE LA NUIT ne vient pas ici spécifier le terme

L'ŒIL comme dans les cas de L'ŒIL DU CHAT, L'ŒIL DE L'HOMME, L'ŒIL D'UN POISSON, mais bien le terme plus large FERMER L'ŒIL, comme dans les cas de FERMER L'ŒIL PENDANT TOUTE LA NUIT, FERMER L'ŒIL UN INSTANT, FERMER L'ŒIL POUR UN TEMPS.

De la même manière, il ne suffit pas de dire (ou d'écrire) LA CRAIE immédiatement après un verbe, pour que celui-ci entre automatiquement en connexion avec le terme en question. En effet, on peut très bien dire : ENSEIGNER LA CRAIE À LA MAIN, où aucune connexion n'est sentie entre ENSEIGNER et LA CRAIE. Au contraire, c'est LA CRAIE À LA MAIN qui spécifie le terme ENSEIGNER, comme le font, par exemple, DEBOUT et D'EXPÉRIENCE dans les expressions ENSEIGNER DEBOUT et ENSEIGNER D'EX-PÉRIENCE.

Voyez encore comme le voisinage même immédiat dans un contexte phonique ou graphique n'entraîne pas nécessairement une connexion : un journal publiait, il y a quelque temps, *un formulaire de conseils qui permettent d'utiliser à propos les ressources des figures, etc.* On sentira la différence du procédé en songeant, par exemple, à des commentaires qui seront faits *à propos des ressources des figures, etc.*

Enfin, il n'est pas difficile de voir que seule une délicate opération intellectuelle (à laquelle, bien entendu, nous sommes depuis longtemps habitués) permettra de saisir exactement le sens des expressions suivantes : ON EXIGE PLUS D'UN CANDIDAT À CE POSTE – DES MEUBLES PRÊTS À PEINDRE – ON FAIT PASSER LES ANIMAUX DU ZOO AU CIRQUE. En un mot, amphibologique ou non, toute expression de la langue est à base de *connexion* entre termes du discours. Et l'intelligence du discours est fondée sur la perception de cette *connexion*.

0.2.2 DEUXIÈME PRINCIPE : toute segmentation du donné linguistique qui fait apparaître une suite sonore pourvue d'un rôle syntaxique défini révèle l'existence d'un LIEU LINGUIS-TIQUE sous-jacent au rôle en question.

Un mot, d'abord, sur la nomenclature. L'écriture n'étant, par définition, qu'un système destiné à représenter la langue parlée (que les textes aient été effectivement prononcés ou non avant d'être confiés au papier), il suffit de faire porter notre enquête sur les procédés de cette langue parlée : l'écriture a ses procédés propres, qui souvent, en français moderne, n'ont rien à voir avec le système de la langue parlée. *Exemples :* le *-e* des féminins et le *-s* des verbes, jamais prononcés en français moderne.

D'autre part, nous aurons constamment besoin, au cours du présent exposé, d'une dénomination extrêmement large, que nous pourrons appliquer à des unités très variées, découvertes ici et là, aux différents niveaux de la langue, et dont les dimensions linéaires dans la chaîne parlée pourront varier presque à l'infini. Par exemple, dans la phrase L'HERBE FAIT BROSSE SUR LE BORD DU SOULIER, une étape de notre analyse fera distinguer FAIT BROSSE, LE BORD DU SOULIER ; une autre étape distinguera des unités plus restreintes, comme : L'HERBE, LE BORD, et ainsi de suite. Quelle dénomination commune pourrait s'appliquer à ces unités extérieurement différentes? A toutes fins pratiques – et partant du principe que l'analyse se fonde sur la *langue parlée* – nous appellerons SUITE SONORE toute espèce d'unité identifiée par l'analyse et constitutive du discours.

Les explications du paragraphe 0.2.1, relatives au premier principe de la théorie, pourront donc se relire en remplaçant régulièrement « terme » par « suite sonore » – vocable que nous utiliserons désormais au cours de ces pages.

Une deuxième précision à propos de nomenclature. Le phénomène linguistique peut être envisagé sous plusieurs aspects, analysé à plusieurs points de vue. La description que nous effectuons dans le présent ouvrage se veut entièrement et exclusivement *linguistique*, ce qui signifie au départ qu'il ne sera tenu compte, dans la *description* elle-même, d'aucune donnée *logique*, *psychologique*, *sémantique* ou *stylistique*. De plus, toute unité entrant dans notre description sera considérée *par rapport au rôle* que cette unité remplit à l'intérieur d'un système. Concrètement, trois niveaux d'analyse s'offrent à

nous : celui de la phonologie, celui de la morphologie et celui
de la syntaxe proprement dite. Or, il n'existe aucune frontière
précise entre phonologie, morphologie et syntaxe : ce ne sont
là que trois points de vue différents adoptés par l'esprit qui
enquête sur la structure du langage.

En effet, la phonologie (ou science qui étudie les sons du
langage articulé considérés par rapport au rôle qu'ils jouent
dans un système) ne livre ses unités – les phonèmes – qu'à
l'intérieur de phénomènes morphologiques, et la morphologie,
à son tour, livre des morphèmes (unités minimales dotées
d'une signification et susceptibles d'influer sur la signification
d'autres morphèmes) qui appartiennent aussi bien au domaine
de la syntaxe. *Exemple :* si la phonologie identifie deux *a*
différents dans l'expression : PAR EN BAS, elle ne peut le
faire qu'à l'intérieur d'un phénomène morphologique, qui est
la formation du *groupe* de sons qui constituent l'expression,
et ce groupe de sons, maintenant aperçu comme un jeu de
morphèmes, est essentiellement inséré dans un contexte
syntaxique, c.-à-d. qu'il sert à constituer un énoncé total,
comme : IL COMMENCE PAR EN BAS.

D'où, en parlant des divers rôles remplis par les unités du
discours (à 3 niveaux différents, selon le point de vue adopté),
nous dirons qu'ils sont des RÔLES SYNTAXIQUES. Ce sera les
contredistinguer de tout rôle *sémantique, logique* ou *stylistique,*
tout en situant ces rôles dans un ordre qui leur est propre,
l'ORDRE SYNTAXIQUE. Qu'est-ce, alors, que la syntaxe?
C'est l'ensemble organisé des fonctions corrélatives remplies
par les unités du discours (aux 3 niveaux) en vue de traduire la
pensée humaine. Et le système tout entier de la langue revient au
concours des divers rôles syntaxiques, secret des communications
rendues possibles à l'intérieur d'une communauté linguistique.

Ces précisions de nomenclature fournies, expliquons le
deuxième principe de la théorie.

Soit l'énoncé suivant : LA FACE DANS SON OREILLER,
MA SŒUR SANGLOTAIT. Selon ce qui vient d'être dit,
nous pourrons considérer cet énoncé total comme une longue
suite sonore dotée d'une signification complète et facile à

saisir pour qui connaît le français. Cependant, cette longue suite sonore n'apparaît pas tout à fait inanalysable, même au premier abord : on y décèle très facilement 4 frontières syntaxiques permettant des substitutions du genre de celles-ci :

# LA FACE DANS SON OREILLER	/ MA SŒUR	/ SANGLOTAIT #
# DERRIÈRE LA PORTE	/ MA SŒUR	/ SANGLOTAIT #
# ALORS	/ MA SŒUR	/ S'EN ALLA #
# LA FACE DANS SON OREILLER	/ VOTRE MÈRE	/ SANGLOTAIT #
# ALORS	/ SA FILLE	/ S'EN ALLA #
# DERRIÈRE LA PORTE	/ LE BAMBIN	/ SANGLOTAIT #
# ALORS	/ MA MÈRE	/ S'EN ALLA #
# LA FACE DANS SON OREILLER	/ LE BAMBIN	/ RIAIT #
# ALORS	/ LE BAMBIN	/ S'EN ALLA #
ETC.		

Nous voyons donc que l'énoncé total se présente à nous comme UN TOUT ORGANISÉ essentiellement constitué d'un certain nombre d'unités interdépendantes appelées suites sonores. Comme nous pouvons faire varier presque à l'infini les suites sonores comprises entre deux frontières syntaxiques [1], nous ne retiendrons que les *rôles syntaxiques* compris entre les diverses frontières. Ici, il y a 3 rôles syntaxiques remplis par des unités en vue de l'édification du tout organisé qu'est l'énoncé total.

Mais c'est là seulement une première opération. Il est possible de pousser plus loin l'observation et de constater, par exemple, que la suite sonore LA FACE DANS SON OREILLER présente, à son tour, certaines frontières syntaxiques. On peut dire, en effet :

LA FACE	/ DANS SON OREILLER
LA FACE	/ DANS SES MAINS
LA TÊTE	/ DANS SES MAINS
LES MAINS	/ SOUS SON OREILLER
ETC.	

1. En termes abstraits, nous définirons la *frontière syntaxique* comme étant la limite extrême du champ d'extension recouvert par un rôle syntaxique, à l'intérieur d'un tout phonique ou graphique.

Les suites sonores obtenues sont, cette fois, de dimensions plus restreintes, et – ce qui est de la dernière importance – les *rôles syntaxiques* remplis par ces suites sonores sont tout à fait différents de ceux qu'on a obtenus lors d'une première analyse.

Il en sera de même pour toute étape ultérieure de l'analyse. On pourra établir les substitutions :

DANS / SON OREILLER

SOUS / SON OREILLER

DANS / UN OREILLER

SOUS / MON OREILLER

ETC.

SON   / OREILLER

CET   / OREILLER

UN   / OREILLER

ETC.

Ce que nous retiendrons de toutes ces opérations possibles, c'est que l'analyse, en se poursuivant ainsi depuis le tout organisé jusqu'aux unités minimales (les *sons* de la langue), livre des suites sonores aux dimensions variables, se remplaçant à l'envi pour jouer des rôles syntaxiques définis repérés entre deux frontières syntaxiques. La question qu'il nous reste maintenant à poser est la suivante : QUEL EST EXACTEMENT LE RÔLE SYNTAXIQUE REMPLI PAR UNE SUITE SONORE INSÉRÉE ENTRE DEUX FRONTIÈRES SYNTAXIQUES DONNÉES? Quel rôle joue LA FACE DANS SON OREILLER, quel rôle joue MA SŒUR et quel rôle joue SANGLOTAIT dans le tout organisé que représente l'énoncé : LA FACE DANS SON OREILLER, MA SŒUR SANGLOTAIT?

C'est ici qu'intervient la notion qui a donné son nom à notre théorie, celle de LIEU LINGUISTIQUE. Pour comprendre cette notion, comparons les énoncés suivants :

1. LA FACE DANS SON OREILLER, MA SŒUR SANGLOTAIT.

2. MA SŒUR SANGLOTAIT, LA FACE DANS SON OREILLER.

3. MA SŒUR SE CACHAIT LA FACE DANS SON OREILLER.

Nous savons déjà que dans l'énoncé n° 1, LA FACE joue un rôle particulier (non encore spécifié) dans le petit tout qu'est LA FACE DANS SON OREILLER. En même temps, LA FACE DANS SON OREILLER joue aussi un rôle (différent) dans le tout plus large qui est l'énoncé total. Dans l'énoncé n° 2, on retrouve les mêmes rôles syntaxiques attribués aux mêmes suites sonores ; seul l'ordre est inversé, dans le déroulement de l'énoncé. Mais dans l'énoncé n° 3, LA FACE joue un rôle fort différent de celui que cette même suite sonore jouait dans l'énoncé n° 1. C'est au point que, *syntaxiquement parlant*, LA FACE n'a plus rien à voir avec DANS SON OREILLER (contrairement à ce qui était, dans l'énoncé n° 1) : il faut ici rattacher LA FACE à SE CACHAIT, et non plus à DANS SON OREILLER.

Or, aucune suite sonore de la langue ne possède en propre quelque rôle syntaxique que ce soit. Dans le répertoire jamais épuisé de la langue, les suites sonores ne sont que *virtuelles*, donc n'ont pas d'existence réelle, et n'y jouent de fait aucun rôle syntaxique. *Exemple :* NOIR. Cette brève suite sonore n'existe comme telle que dans mon esprit, tout énoncé la mettant nécessairement en rapport étroit avec au moins une autre suite sonore, *v.g.* : BROYER DU NOIR – UN HABIT NOIR – ÇA FAIT TROP NOIR. A ce moment, NOIR est *actualisé*, c.-à-d. utilisé de fait, à un moment précis, pour la constitution d'un tout organisé qui est un énoncé.

Nous appellerons donc LIEU LINGUISTIQUE la possibilité même qui est offerte à une suite sonore qui s'actualise, de remplir tel ou tel rôle syntaxique dans l'édification d'un énoncé (partiel ou total). Vu du côté de la suite sonore elle-même, le LIEU LINGUISTIQUE apparaîtra donc comme

LA CONTRIBUTION FONCTIONNELLE QU'UNE SUITE SONORE, EN S'ACTUALISANT, ASSUME DANS L'ÉDIFICATION D'UNE TOTALITÉ STRUCTURÉE

(c'est la définition plus technique que nous en avons officiellement donnée).

Nous sommes maintenant en mesure de comprendre le deuxième principe de la théorie des LIEUX LINGUISTIQUES, suivant lequel toute identification d'une suite sonore dotée d'un rôle syntaxique est en même temps la reconnaissance de l'existence d'un LIEU LINGUISTIQUE, explication ultime de l'emploi de cette suite sonore dans le rôle qui lui est *hic et nunc* assigné.

0.2.3 TROISIÈME PRINCIPE : il existe une certaine *frontière* au-delà de laquelle toute opération d'analyse fait violence à la réalité linguistique.

En matière de langage, isoler une pièce du système total, c'est courir un très grand risque, celui d'attribuer à une unité arbitrairement choisie un rôle syntaxique arbitrairement délimité. Plus concrètement : lorsqu'on considère un énoncé comme LA CIGALE A CHANTÉ TOUT L'ÉTÉ, on voit que TOUT L'ÉTÉ remplit un rôle déterminé, par rapport au reste de l'énoncé. Si donc on fait porter son attention sur la suite sonore TOUT L'ÉTÉ, on trouve facilement qu'il s'agit là d'une unité, puisque l'on décèle une frontière entre A CHANTÉ et TOUT L'ÉTÉ (cf. A CHANTÉ / LONGTEMPS – A CHANTÉ / HIER), et cette unité se trouve identifiée, alors, en partant du tout qu'est l'énoncé et *à l'intérieur* de ce tout. On effectue donc, à ce moment, une espèce de *vivisection*, opération qui respecte la nature des choses et s'avère éminemment propre à faire ressortir l'interdépendance des unités constitutives du tout. Mais si, au contraire, voulant effectuer l'analyse, on part de TOUT L'ÉTÉ sorti de son contexte, on n'arrivera jamais à identifier la nature de cette suite sonore, non plus qu'à déterminer le rôle syntaxique qu'elle remplit dans l'énoncé : L'ÉTÉ, en effet, s'analyse fort différemment selon qu'on le trouve dans un énoncé comme ELLE CHANTA TOUT L'ÉTÉ ou dans un autre comme TOUT L'ÉTÉ SE PASSA SANS INCIDENT. Dans le premier cas, TOUT L'ÉTÉ s'analyse comme HIER, LONGTEMPS et CONTINUELLE-MENT ; dans le second, cette unité s'analyse comme TOUTE LA MAISON, CHAQUE MAISON, NOTRE MAISON. Attribuer définitivement à une suite sonore une nature et un rôle déterminés, c'est donc se prononcer *a priori* et poser au départ les données que seule l'analyse devrait indiquer. Isoler TOUT L'ÉTÉ de son contexte, c'est donc porter la mort au sein de l'organisme vivant, c'est *faire violence à la réalité* linguistique, celle-ci ne présentant jamais de suite sonore comme TOUT L'ÉTÉ à l'état isolé. Le pied d'une table devient une simple pièce de bois ou de métal sans rôle déterminé, lorsque isolé du tout qu'est la table : de même, une suite sonore comme TOUT L'ÉTÉ devient simplement une suite de sons sans rôle déterminé (et sans nature syntaxique), lorsque isolée de tout contexte qui la contienne.

0.3 Image du français contemporain fournie par la théorie

Les trois principes fondamentaux de la théorie des LIEUX LINGUISTIQUES représentent une triple garantie d'objectivité dans la description linguistique. En effet :

1. Grâce au premier principe (la *connexion* nécessaire entre suites sonores), la démarche initiale de l'analyse s'effectuera dans la bonne direction, c.-à-d. en procédant du tout vers les parties. C'est là la bonne direction, parce que c'est là respecter la nature même des choses. Le donné brut de la langue fournit au départ des touts organisés dans lesquels il s'agit, grâce à une observation dénuée de tout préjugé, d'identifier et de classer des unités composantes. Toute autre manière de procéder est vouée à l'échec, en tant que posant au départ, donc *a priori*, les unités que seule une observation subséquente a pour objet de découvrir.

2. Grâce au deuxième principe (le *lieu linguistique* proprement dit), on est sûr d'arriver à l'image la plus exacte possible de la langue, puisque, à travers la théorie, c'est *le français lui-même* qui va brosser son propre portrait, en nous livrant le jeu de rôles syntaxiques constitutifs de sa structure totale.

Et nous nous ferons, bien entendu, une stricte obligation de ne rien ajouter à ce portrait.

Or, nous le verrons dès le chapitre suivant, le français contemporain ne nous livre de lui-même que des *rôles syntaxiques*, sans unités positives identifiables au plan des actualisations. Notre analyse du français n'aboutira donc nulle part à la reconnaissance d'éléments qui peuvent s'additionner ou se juxtaposer à la manière de cubes ou de blocs disposés sur une surface.

3. Enfin, grâce au troisième principe (la *frontière* au-delà de laquelle on fait violence à la réalité linguistique), nous écartons le danger de poser arbitrairement l'existence d'unités non vérifiées dans la nature des choses (dans le fait même du langage) et plus spécialement nous éviterons la tentation d'attribuer *définitivement* à une suite sonore donnée un rôle syntaxique donné, ce que contredit une observation même superficielle du donné linguistique. Il n'est guère besoin, en effet, d'examiner longuement notre langue, pour nous rendre compte que NOIR, MAISON et LA ne sont pas à caser pour toujours en une catégorie donnée, et qu'ils n'ont pas plus droit d'être en principe casés dans une catégorie que dans une autre. NOIR, MAISON et LA jouent un même rôle syntaxique dans les énoncés suivants : JE PRÉFÈRE LE NOIR – IL VEND SA MAISON – JE LA COMPRENDS PARFAITEMENT. De même, NOIR et MAISON jouent un même rôle syntaxique (mais différent du précédent) dans : UN HABIT NOIR et UN PÂTÉ MAISON. Quant à déterminer *lequel* de ces deux rôles syntaxiques revient de droit ou par nature à NOIR et à MAISON, cela n'est pas révélé par la langue, et nous ne prétendrons pas ajouter aux faits vérifiables. Nous dirons simplement que NOIR et MAISON peuvent également remplir les deux rôles syntaxiques en question : la probité scientifique nous empêche d'affirmer davantage.

Première Partie

LE VRAI VISAGE
DU FRANÇAIS CONTEMPORAIN

1.1 Les deux aspects du français contemporain

A la vérité, il existe deux langues françaises contemporaines. A cause de son importante histoire qui ramène fort en arrière, notre langue doit être comprise comme un organisme vivant extrêmement évolué, buriné par les siècles, mais aussi marqué par les avatars de sa longue existence. Parfaitement libre, au début, de se développer dans une direction ou dans une autre ; freinée dans son développement, un peu plus tard, par l'importance de sa propre représentation par écrit ; puis, ligotée, enfermée dans un corset de prescriptions normatives, la langue française est parvenue jusqu'à nous sous des dehors fallacieux – à la manière, oserons-nous dire, d'une jeune fille charmante et attrayante, affublée d'une armure lourde et disgracieuse.

Notre langue présente deux faces. Parce que langue de haute civilisation, le français *se parle* et le français *s'écrit*. C'est un truisme de le rappeler. Et aux yeux de chaque génération, le français écrit paraît fixé définitivement. Bien entendu, il n'en est pas ainsi dans la réalité des choses, mais on peut quand même considérer le français écrit comme une langue morte, tout en sachant qu'on n'a pas plus raison de parler ainsi, que les astronomes ne sont justifiés de parler de levers et de couchers des astres. C'est là pure convention de langage et question d'intelligence des faits par contraste. Et la description du français écrit est chose aisée, puisque par définition elle est un système fixe et fixé. C'est surtout contre ce langage fixé, d'ailleurs, que l'on commet ce qui s'appelle des « fautes ».

Quant au français parlé, – celui qui échappe parfois si scandaleusement aux lois de l'Académie –, il constitue le fonds vivant de la langue, évoluant quotidiennement sous nos yeux dans un élan que rien ni personne ne peut arrêter, qu'on peut à peine freiner. Pour un observateur le moindrement averti, il n'est pas difficile de déceler les changements qui se produisent à tous les niveaux de la langue parlée. Citons, à titre d'exemples, la disparition aujourd'hui presque consommée du son « un » dans le parler parisien et le développement de plus en plus important de l'interrogation sous forme positive : ALORS, TU VIENS? – TON PÈRE EST LÀ? – QUAND VOUS PARTEZ? Etc.

Une description du français parlé peut donc s'approcher considérablement de ce qu'on pourrait appeler une image fidèle et complète de la réalité linguistique française contemporaine.

Mais quel aspect, précisément, prendra une description objective de la réalité française contemporaine? Comme il existe véritablement *deux langues françaises*, l'une parlée, l'autre écrite, la description du français doit continuellement tenir compte de cette réalité et présenter en parallèle *deux descriptions*: l'une du français parlé, l'autre du français écrit. De droit, la première prime la seconde.

1.2　La structure du français contemporain

1.2.1　LES FONCTIONS CONSTITUTIVES DE LA STRUCTURE DU FRANÇAIS

Le système intégral de notre langue met à la disposition des sujets parlants un immense répertoire de suites sonores capables de remplir un certain nombre de rôles syntaxiques dans une chaîne parlée. D'autre part, une observation du français fondée sur les principes de la théorie des LIEUX LINGUISTIQUES révèle l'existence d'un réseau de rôles syntaxiques constitutifs du système même de la langue. Nous parlerons donc, à partir de ce moment, de FONCTIONS GRAMMATICALES du français, entendant sous ce vocable toutes espèces de rôles syntaxiques qu'une suite sonore peut jouer de fait dans l'édification d'une totalité structurée (énoncé total). Pour reprendre

un exemple déjà cité, nous dirons que LA FACE DANS SON
OREILLER remplit une *fonction grammaticale* (rôle syn-
taxique déterminé) essentielle à l'édification du tout qu'est
LA FACE DANS SON OREILLER, MA SŒUR SANGLO-
TAIT. De même LA par rapport à FACE (quoique la fonction,
en ce cas, soit différente) ; SANGLOTAIT par rapport à MA
SŒUR et MA SŒUR par rapport à SANGLOTAIT. Et ainsi
de suite.

Ces *fonctions grammaticales* constitutives du système de la
langue sont en très grand nombre, et il n'est pas sûr qu'on
puisse jamais en dresser un inventaire exhaustif. Chaque fois
que la langue présente un énoncé total, celui-ci contient nécessairement plusieurs fonctions grammaticales dont le nombre
varie avec les dimensions et la qualité de l'énoncé même.
Pour ne pas anticiper sur des explications ultérieures, contentons-nous de donner ici quelques exemples de *fonctions grammaticales :*

– déclaration d'un genre grammatical :
    LE CHEVAL – LA MAISON ;

– déclaration d'un nombre :
    LA MAISON – LES MAISONS ;
    JE CHANTAIS – NOUS CHANTIONS ;

– déclaration d'un temps grammatical :
    JE CHANTAIS – JE CHANTERAI ;

– déclaration d'un mode :
    VOUS CHANTEZ – QUE VOUS CHANTIEZ ;

– déclaration d'une dépendance syntaxique :
    IL EST BON DE CHANTER –
    JE VEUX QUE TU VIENNES ;

– mise en relief :
    C'EST LUI QU'ON PRÉFÈRE –
    IL L'A ATTRAPÉ, SON BANDIT ;

– et nombre d'autres fonctions grammaticales, que nous
étudierons en détail plus loin.

I.2.2 CLASSIFICATION RATIONNELLE DES FONCTIONS GRAMMATICALES DU FRANÇAIS

A ce point de notre exposé, une constatation s'impose : pour arriver à une étude rationnelle des fonctions grammaticales du français, il nous faudra de toute nécessité recourir à quelque principe de classification. C'est pourquoi nous allons introduire ici une notion nouvelle, destinée à favoriser l'intelligence et la classification des fonctions grammaticales, mais ne recouvrant elle-même aucune réalité linguistique concrète : ce sera la notion de FONCTION LEXICALE. Sous ce vocable, il conviendra de comprendre toute unité de langage considérée en elle-même, indépendamment des nombreux rôles syntaxiques que cette unité est appelée à remplir dans l'édification d'énoncés variés. Les fonctions lexicales n'ont donc pas d'existence réelle et concrète : elles reposent sur une simple classification de l'esprit issue d'une opération justifiée certes, mais dépassant le plan de la pure consignation des faits.

Le principe de classification que nous sommes en train d'exposer fait penser, *mutatis mutandis*, à celui qui reconnaît, au sein du monde matériel, trois catégories d'êtres, rangées sous trois dénominations, à savoir : le règne minéral, le règne végétal et le règne animal. Dans la réalité des choses, il n'existe que des minéraux, des végétaux et des animaux ; que des animaux dénués de raison et d'autres doués de raison, etc. Mais un « règne » représente une manière commode de classer les êtres réels, en les groupant selon certaines caractéristiques communes. De même, au plan qui nous occupe ici, la fonction lexicale ne représente qu'une manière commode de classer les seules véritables fonctions – les fonctions grammaticales – en les groupant également selon des caractéristiques communes.

Or, en groupant les fonctions grammaticales selon certaines caractéristiques communes, on aboutit à la distinction de 4 catégories de fonctions lexicales, que nous allons maintenant décrire.

L'observation de la structure du français nous amène à poser deux fonctions lexicales qui s'opposent comme deux

pôles et qui représentent une sorte de dichotomie sur laquelle
se fonde essentiellement l'expression de la pensée française.
L'un de ces pôles sera appelé, vu ses caractéristiques, FONC-
TION DE PROCÈS ; l'autre, pour la même raison, sera appelé
FONCTION DE DÉNOMINATION.

De plus, on observe deux autres espèces de fonctions lexicales additives à celles de la dichotomie mentionnée : ce sont
les fonctions DE SPÉCIFICATION et DE SIGNALISATION. Définis-
sons donc chacune de ces fonctions en particulier.

I.2.2.I *La fonction de procès*

La fonction de procès est le rôle syntaxique rempli par une
suite sonore en vue d'exprimer essentiellement ce qui a lieu,
ce qui se produit. *Exemples :* NOUS CHANTONS – IL PLEUT
– JE VENAIS – QU'ON SORTE !

Doivent être considérées comme fonctions grammaticales
caractéristiques de la fonction de procès, six déclarations, à
savoir : celles d'une personne grammaticale, d'un nombre,
d'un mode, d'un temps grammatical, d'une voix et d'un
aspect. A toutes fins pratiques, nous désignerons régulièrement
la fonction de procès à l'aide du symbole I.

I.2.2.2 *La fonction de dénomination*

La fonction de dénomination est le rôle syntaxique rempli
par une suite sonore en vue de dénommer les êtres, les choses
du monde extérieur, les entités abstraites, etc. Cette fonction
diffère de son opposée, la fonction de procès, en ce qu'elle ne
fait jamais aucune référence au temps (grammatical ou réel),
même lorsqu'il lui arrive d'exprimer des concepts acceptant
un procès. Exemples de cette fonction : LA MAISON – MES
CHEVAUX – MOURIR – UNE AVALANCHE. Symbole : O.

1.2.2.3 *La fonction de spécification*

Dans l'édification de ses énoncés, le français exploitera au
maximum le caractère complémentaire des deux fonctions
que nous venons de présenter. D'autre part, on trouve, à la
base du système de la langue française, une troisième fonction
lexicale, destinée à préciser d'une manière ou d'une autre la
notion qu'exprime une fonction I ou une fonction O : c'est la
fonction de spécification, qui se définit comme le rôle syntaxique
rempli par une suite sonore en vue de spécifier la signification
d'une fonction I ou d'une fonction O (et même d'une autre
fonction A). Logiquement et sémantiquement apparentée ou
non aux deux premières fonctions, cette fonction s'en distingue
essentiellement, sur le plan syntaxique, par le fait qu'elle est
totalement *dépendante des deux autres.* Exemples avec une
fonction I : *Elle chante ADMIRABLEMENT – Nous venons
TOUT DE SUITE – Parlez BAS ;* avec une fonction O : *Un
ouvrage COURAGEUX – Le chapeau DE GRAND-MÈRE –
Deux pièces FORMIDABLES ;* avec une fonction A : *Tu
marches TROP vite – Il est PLUS gros – C'était MOINS bien.*
Symbole : *A.*

1.2.2.4 *La fonction de signalisation*

Nous avons jusqu'ici reconnu trois fonctions lexicales qui
s'agencent pour créer la chaîne parlée du français. Il en reste
une quatrième, de nature entièrement différente et destinée
à un rôle de pure signalisation dans l'énoncé, d'où son nom
de FONCTION DE SIGNALISATION. Cette fonction, cependant,
représente un genre dont il existe en fait trois espèces bien
marquées : une FONCTION D'ARTICULATION, une FONCTION
D'INDICATION et une FONCTION DE NOTATION.

Si la fonction de signalisation est définie comme le rôle
syntaxique rempli par une suite sonore en vue de signaler
quelque chose, on définira ses trois espèces comme suit : 1. La
fonction d'articulation, c'est le rôle qui consiste à marquer où

l'on en est dans le discours (*v.g. :* MAIS, OR, PAR CONSÉ-
QUENT) ou à joindre intimement deux éléments de la chaîne
parlée (*v.g. :* ET, NI, OU). Symbole de cette fonction : *Ea.*
2. La *fonction d'indication,* c'est le rôle qui consiste à accompagner une fonction I ou une fonction O en insistant sur la
présence de celle-ci ou sur une de ses caractéristiques.
Exemples : *LA maison, NOS amis, JE chante.* Symbole de cette
fonction : *Ei.* 3. La *fonction de notation,* enfin, c'est le rôle qui
consiste à accompagner une fonction I ou une fonction O, en
insistant sur le *rôle grammatical* joué par cette fonction.
Exemples : *Je veux QUE tu viennes – Le livre DONT tu parles –
Nous allons À l'école.* Symbole de cette fonction : *En.*

Avec toutes ces données et explications présentes à l'esprit,
nous pouvons maintenant entreprendre la description du
français contemporain.

Deuxième partie

INTRODUCTION À L'ANALYSE DU FRANÇAIS CONTEMPORAIN

2.1 L'inscription des fonctions grammaticales en des phénomènes structuraux

Nous disposons donc d'un principe de classification : les fonctions lexicales. Quelle démarche suivrons-nous, dans notre description du français ?

Une manière facile et toute naturelle s'offre à nous, qui consiste à examiner chaque fonction lexicale d'abord en elle-même, indépendamment de son apparition dans un contexte défini ; puis, à l'intérieur d'un contexte, après actualisation d'un certain nombre de suites sonores.

Nous disons que cette manière de procéder est facile et toute naturelle, parce que, une fois posée la distinction des quatre catégories de fonctions lexicales, la question se pose spontanément de savoir quelles sont les caractéristiques communes à chacune de ces fonctions.

Or, les caractéristiques communes que nous chercherons seront toutes des *phénomènes structuraux* (ou manifestations sensibles) dans lesquels s'inscriront les diverses *fonctions grammaticales*. Nous avons donc besoin maintenant d'un nouveau principe de classification, afin de procéder avec ordre et clarté. A cette fin, nous distinguerons des phénomènes qui affectent les fonctions lexicales *indépendamment de leur apparition* en une chaîne parlée ou écrite, et d'autres qui affectent les mêmes fonctions *à l'occasion d'un déroulement* (présence simultanée d'au moins deux fonctions lexicales dans une même chaîne). Nous appellerons les premiers des PHÉNOMÈNES SYNTAGMATIQUES et les seconds, des PHÉNOMÈNES SYNTAXIQUES, et ce nouveau principe de classification nous permettra de procéder avec plus de précision à l'analyse du système de la langue française.

Partant, en effet, de la distinction que nous venons de poser, nous ferons en premier lieu l'inventaire de tous les *phénomènes syntagmatiques*, en rattachant ceux-ci à chacune des catégories de fonctions lexicales ; ensuite, nous référant aux mêmes fonctions, nous entreprendrons l'examen des *phénomènes syntaxiques*. Enfin, ce travail effectué, nous pourrons dresser un catalogue des fonctions grammaticales rencontrées et prendre une vue d'ensemble de la structure entière du français contemporain.

2.2 Les deux faces du français contemporain

Une autre donnée, cependant, doit être fournie, avant de présenter la description totale de la langue française.

Comme nous l'avons dit dans les *Notions préliminaires*, une double description s'impose, dans le cas du français contemporain. Ou mieux : deux descriptions doivent être présentées en parallèle, si l'on veut arriver à une image intégrale et exacte de cette langue. C'est pourquoi, dans les pages qui vont suivre immédiatement, et qui présenteront une étude des fonctions lexicales hors du discours, notre analyse de la structure du français s'effectuera simultanément sur deux plans, un peu à la manière d'un convoi de chemin de fer porté à la fois sur deux rails ne constituant qu'une voie. *Sur la page de gauche*, on trouvera exclusivement les fonctions grammaticales édificatrices du système de la langue parlée, fonctions inscrites en des phénomènes définis. Et *sur la page de droite*, on trouvera un système fort différent – et souvent totalement indépendant – du précédent, qui sera la *représentation par écrit* des fonctions décrites en regard, sur la page de gauche.

Cette double présentation d'un double système offre plus d'un avantage :

1. Grâce à cette séparation radicale du plan de la langue parlée et du plan de la langue écrite, on évitera d'expliquer des phénomènes de structure au moyen de considérations orthographiques.

2. Grâce, encore, à la séparation des deux plans, les ressorts cachés de la langue française, ses procédés spécifiques, ses démarches propres apparaîtront avec un relief peut-être insoupçonné. En tout cas, *la simplicité de la langue française* sautera aux yeux, malgré la sournoise attitude de la graphie toujours disposée à compliquer extérieurement les phénomènes identifiés au plan de la structure.

3. Autre avantage de la présentation des deux analyses en parallèle : on peut ou bien établir continuellement la comparaison entre le système de la langue parlée et celui de la langue écrite, ou bien s'en tenir, selon les besoins, à une seule perspective, en vue d'insister soit sur les seuls mécanismes internes et véritables de la langue, soit sur la complexité de la convention graphique du français contemporain.

4. De même, la distinction des deux plans fera voir combien imparfaitement la graphie française contemporaine s'acquitte de son rôle, qui devrait être de fournir une image la plus exacte possible des unités et des mécanismes de la langue.

5. Enfin, nous ne voyons pas comment une démarcation nette entre français parlé et français écrit ne favoriserait pas une intelligence plus profonde de tous les caractères de notre langue, et n'aiderait pas, du même coup, l'enseignement du français à tous les niveaux.

2.3 Structure du français parlé et système du français écrit.

2.3.1   Le donné brut fourni par la langue parlée, c.-à-d. ce que nous percevons directement, quand nous entendons quelqu'un s'exprimer oralement, c'est une CHAÎNE SONORE plus ou moins prolongée, à l'intérieur de laquelle certains groupes de souffle, certains phénomènes comme intonations, arrêts, insistances, etc., indiquent des frontières révélatrices de certaines entités aux dimensions plutôt larges, dont nous aurons à faire l'analyse. Essayons de représenter ce fait.

Pour éviter toute confusion avec le plan de l'écriture (dont il est question sur la page opposée), nous utiliserons les symboles de l'Association Phonétique Internationale pour reproduire ce qui pourrait être, par exemple, le début d'une conférence donnée sur la méthodologie des langues vivantes. Voici le court texte qu'un auditeur aurait pu entendre, transcrit de manière à bien mettre en évidence les *frontières* révélatrices d'entités à analyser (les retours à la ligne représentent une pause de moyenne durée dans le débit, et le sigle /, une pause plus marquée) :

> \# okynperjɔddəlistwa:rdelã:gvivã:t
> naky:zdəprɔgrɛosisãsibl
> kəsɛldəsedɛrnjɛ:rzane /
> partu
> sulãpi:rdenesɛsitedlavimɔdɛ:rn
> lãsɛɲmãdelã:gzetrãʒɛ:r
> ɑetelɔbʒedəreformprɔfõ:d
> dõtõpødɛzaprezã
> apɛrsəvwa:rlezœrørezylta \#

SYSTÈME DU FRANÇAIS ÉCRIT

2.3.1 Les textes français fournissent au départ des groupements de lettres (en principe, noir sur blanc) qui doivent se lire
de gauche à droite et qui sont accompagnées de divers signes
symboliques à identifier, appartenant à des niveaux différents.
Par exemple, le texte suivant, qui correspond au texte oral
reproduit en transcription phonétique sur la page opposée[1] :

« Aucune période de l'histoire des langues vivantes n'ac-
cuse des progrès aussi sensibles que celle de ces dernières
années. Partout, sous l'empire des nécessités de la vie
moderne, l'enseignement des langues étrangères a été
l'objet de réformes profondes, dont on peut dès à présent apercevoir les heureux résultats. »

1. En réalité, ce texte est le début du premier chapitre de la *Méthodologie
des langues vivantes* de Ch. Schweitzer & E. Simonnot, Colin, p. 1.

2.3.2 Grâce à un procédé largement utilisé en linguistique, celui de la *substitution*, on arrive à distinguer, au sein des entités fournies au départ par la langue parlée, un certain nombre de *rôles syntaxiques* constitutifs des entités en question.

Par exemple, dans l'énoncé suivant (qui est une entité) : LE LION DÉVORE UN MOUTON, on découvre qu'il y a au moins trois rôles syntaxiques divers, constitutifs de cet énoncé. En effet, une première série de substitutions permettra de poser successivement :

LE LION   / DÉVORE / UN MOUTON
UN TIGRE   / DÉVORE / UN MOUTON
CE CHACAL / DÉVORE / UN MOUTON
ETC.

Dans ces trois énoncés, LE LION, UN TIGRE et CE CHA-CAL remplissent alternativement un même rôle syntaxique par rapport à DÉVORE UN MOUTON.

Mais on peut procéder également aux substitutions suivantes :

LE LION / DÉVORE   / UN MOUTON
LE LION / POURCHASSE / UN MOUTON
LE LION / FLAIRE   / UN MOUTON

Ce qui autorise à poser que DÉVORE, POURCHASSE et FLAIRE remplissent alternativement un même rôle syntaxique par rapport aux autres éléments de l'énoncé total.

Enfin,

LE LION / DÉVORE / UN MOUTON
LE LION / DÉVORE / UNE ANTILOPE
LE LION / DÉVORE / UN HOMME

font conclure, de la même manière, à l'existence d'un troisième rôle syntaxique constitutif de l'énoncé initial.

2.3.2 Sans recours à la langue parlée, il est impossible de découvrir, dans un texte écrit, le jeu de *rôles syntaxiques* qui s'y trouvent. LE LION DÉVORE UN MOUTON, par exemple, est une suite de lettres groupées en 5 unités, sans qu'on puisse être certain qu'il s'agisse là de 5 rôles syntaxiques. En effet, un énoncé comme MON PÈRE ET MOI AVONS POURCHASSÉ UN LION livre, sur le plan de la langue parlée, exactement les mêmes rôles syntaxiques que l'énoncé déjà donné : LE LION DÉVORE UN MOUTON. Donnons-en la preuve :

LE LION	/ DÉVORE	/ UN MOUTON
UN CHACAL	/ POURCHASSE	/ LE LION
UN GROS ANIMAL	/ POURCHASSE	/ LE LION
MON PÈRE ET MOI	/ POURCHASSONS	/ UN LION
MON PÈRE ET MOI	/ AVONS POURCHASSÉ	/ UN LION

De plus, les unités qui jouent chacun des rôles syntaxiques identifiés peuvent prendre, au plan de l'écriture, les aspects les plus variés, comme il ressort des cinq exemples précédents. LE LION, alors, constitue-t-il *une* unité du discours ou *deux?* AVONS POURCHASSÉ constitue-t-il *une* unité ou *deux?*

Seule l'étude de la langue parlée nous permettra de répondre à ces questions.

2.3.3 L'observation du donné brut de la langue parlée nous permet ensuite de constater que les divers rôles syntaxiques dont le jeu constitue des énoncés se manifestent sous la forme de *revêtements morphologiques* repérables, eux aussi, grâce au procédé de substitution. Donnons-en quelques exemples, classés d'après les fonctions lexicales :

- *Fonction I :* ʒəʃãtɛ   nuʃãtõ
              tyʃãtɛ   nuʃãtjõ
              ilʃãtɛ   nuʃãtrõ

- *Fonction O :* lamɛzõ
               lɛmɛzõ
               ynmɛzõ
               dɛmɛzõ
               nomɛzõ
               sɛtmɛzõ

- *Fonction A :* grã   –   grãd
               lõ   –   lõg
               fɛ   –   fɛt

- Etc.

2.3.3 Comme précédemment, les manifestations écrites des *revêtements morphologiques* dont il est parlé en page opposée peuvent présenter les aspects les plus divers. Témoins les exemples suivants (qui sont la reproduction, en orthographe ordinaire, des exemples donnés en page opposée) :

– *Fonction I :* je chantais   nous chantons
                 tu chantais   nous chantions
                 il chantait   nous chanterons

(noter, en particulier, la séparation du morphème initial, et la forme diverse que revêt le morphème final, de même que sa soudure à ce qui précède).

– *Fonction O :* la maison
                 les maisons
                 une maison
                 des maisons
                 nos maisons
                 cette maison

(noter, ici, l'aspect varié du morphème initial et sa séparation d'avec *maison ;* noter également l'apparition du -*s*, suivant les cas).

– *Fonction A :* grand – grande
                 long   – longue
                 fait   – faite

(noter la présence de -*d*, -*g*, -*t* dans les premières formes et la présence de -(*u*)*e* dans les secondes, et comparer avec les formes de la langue parlée, sur la page opposée).

– Etc.

2.3.4 En utilisant la méthode des substitutions, on aboutit, en fin de compte, à la reconnaissance d'unités minimales (donc, indivisibles), appelées *sons de la langue* ou *phonèmes*. *Exemples*:

mu	bu	f	s		a	
ma	fu		a		n	t
mø	lu	∫	t		ε	
mi	ru					

Le français standard contemporain compte 36 phonèmes, qu'on peut classer de la manière suivante :

A. 17 *consonnes*:
occlusive sourde bilabiale . . . . . . p
occlusive sonore bilabiale . . . . . . b
occlusive sourde dentale . . . . . . t
occlusive sonore dentale . . . . . . d
occlusive sourde palatale . . . . . . k
occlusive sonore palatale . . . . . . g
nasale bilabiale . . . . m
nasale dentale . . . . n
nasale palatale . . . . ɲ
fricative sourde labio-dentale . . . . f
fricative sonore labio-dentale v
fricative sourde dentale . . . . s
fricative sonore dentale . . . . z
fricative sourde palatale . . . . . . ∫
fricative sonore palatale 3
sonore latérale l
sonore dentale roulée . . . . r

(variantes de cette dernière :

uvulaire roulée . . . . R
fricative sonore vélaire . . . . . . ʁ
fricative sourde vélaire . . . . . . χ)

B. 3 *semi-consonnes ou semi-voyelles*: j – w – ɥ

2.3.4 Pour représenter, au plan de l'écriture, les 36 phonèmes de la langue parlée, le français dispose d'abord d'un ensemble de 26 lettres appelé *alphabet*, dont les formes sont les suivantes :

– en minuscules :

a b c d e f g h i j k l m n o p q r s t u v w x y z ;

– en majuscules :

A B C D E F G H I J K L M N O P Q R S T U V W X Y Z .

À cet alphabet il faut ajouter certains autres signes conventionnels, qu'on peut classer comme suit :

1. *Des lettres accentuées :*
   – avec accent aigu :   *é*
   – avec accent grave :   *à*
                                        è
                                        ù
   – avec accent circonflexe :   *â*
                                        ê
                                        î
                                        ô
                                        û

2. *Des lettres avec tréma :*   *ë*
                                        ï
                                        ü

3. Un ç appelé *c cédille*.

4. *Des groupements de lettres pour représenter des sons simples :*

a. Des *digraphes* comme   *eu* pour représenter le son ø (ou œ)
                             ou pour représenter le son u
                             gn pour représenter le son ɲ
                             er pour représenter le son e
                             ph pour représenter le son f
                     ... et un grand nombre d'autres combinaisons.

C. 16 *voyelles :*

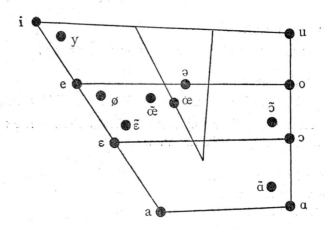

N.B. Il convient de rappeler que le français standard contemporain ne comprend *aucune diphtongue.* Chaque son conserve strictement son timbre, pendant toute la durée de l'émission.

2.3.5 Nous avons défini, aux paragraphes précédents, ce que livraient les segmentations successives du donné brut de la langue parlée. Avant d'entreprendre pour de bon l'étude des diverses fonctions lexicales, il importe au plus haut point de souligner ici un fait qui est à la base de notre intelligence du phénomène linguistique.

Quand nous avons reconnu précédemment, en 0.2.2, des *frontières syntaxiques* indicatrices de *rôles syntaxiques* à l'intérieur des énoncés, nous avons signalé qu'un grand nombre de suites sonores pouvaient remplir alternativement chacun des rôles syntaxiques identifiés. Envisagé d'un autre point de vue,

b. Des *trigraphes* comme   *ill*   pour représenter le son j

                                  ont pour représenter le son õ

                                 eau pour représenter le son o

                                 ain pour représenter le son ẽ

                                 eux pour représenter le son ø

... et un grand nombre d'autres combinaisons.

c. Des *tétragraphes* comme *amps* pour représenter le son ã

                                  auts pour représenter le son o

                                  outs pour représenter le son u

                                  aint pour représenter le son ẽ

                                  ents pour représenter le son ã

                                  ouds pour représenter le son u

... et un grand nombre d'autres combinaisons.

d. Des *pentagraphes* comme *eints* pour représenter le son ẽ

                                  aient pour représenter le son ε

                                  œufs pour représenter le son ø

... etc.

5. La *perluette*, qui s'écrit *&* (et se prononce /e/).

2.3.5 De même que, au chapitre précédent, la représentation des divers *sons simples* de la langue pouvait revêtir les formes les plus variées au plan de l'écriture, les *unités graphiques* du français contemporain ne correspondent que très rarement aux *unités de la langue parlée*. Par exemple, l'unité GEN-DARMES, rencontrée dans un énoncé, pourra être remplacée par l'unité GENS-DE-LETTRES, dans laquelle l'écriture distingue d'abord trois unités graphiques, qu'elle joint ensuite par des traits d'union ; de la même manière, GENS DE MAI-SON pourra remplacer GENDARMES, mais ici l'écriture présente bel et bien *trois* unités graphiques pour *une* seule

cela veut dire que toute suite sonore jouant un rôle syntaxique défini sera à considérer comme *une seule unité*, comprise entre deux frontières. Par exemple, tout ce que je puis mettre à la place de LE LION dans LE LION DÉVORE UN MOUTON sera considéré comme une unité. Illustrations :

CE LION MARAUDEUR	/ DÉVORE UN MOUTON
UN JEUNE LION AVENTUREUX	/ DÉVORE UN MOUTON
LE PETIT DE NOTRE LIONNE APPRIVOISÉE	/ DÉVORE UN MOUTON

Évidemment, les dimensions des unités peuvent varier à l'infini, et une conséquence sera que ces unités seront d'autant plus analysables en éléments que leurs dimensions seront plus considérables. Mais il est essentiel, pour le moment, de bien voir qu'une longue suite sonore comme LE PETIT DE NOTRE LIONNE APPRIVOISÉE constitue *une seule unité* d'un ordre particulier, laquelle nous analyserons en unités aux dimensions plus restreintes et appartenant à un autre ordre. C'est ce que, d'ailleurs, nous fera voir l'étude des fonctions grammaticales qui suit immédiatement.

unité de langue. Voyez encore comment l'écriture représente les unités suivantes :

bientôt	–	très tôt
malpropre	–	très propre
parce que	–	puisque
de là	–	au-delà
contrefort	–	contre-rail
chantons	–	nous chantons
œil-de-bœuf	–	maréchal de France
chou-fleur	–	betterave
afin que	–	à dessein que
surtout	–	par-dessus tout
etc.		

Nous sommes donc maintenant avertis, et nous ne nous étonnerons pas que JE CHANTE ou LA MAISON, aux paragraphes suivants, soient considérés, *en langue parlée*, comme *une seule unité*.

Troisième partie

ÉTUDE DES FONCTIONS GRAMMATICALES DU FRANÇAIS CONTEMPORAIN

LANGUE PARLÉE

Troisième partie

ÉTUDE DES FONCTIONS GRAMMATICALES DU FRANÇAIS CONTEMPORAIN

LANGUE ÉCRITE

3.1 Étude des fonctions grammaticales du français hors du discours

3.1.1 PHÉNOMÈNES SYNTAGMATIQUES RELATIFS À LA FONCTION I

3.1.1.0 *Remarques préliminaires*

1. Le système entier des phénomènes syntagmatiques relatifs à la fonction I se ramène à un jeu de *préfixes* et de *suffixes* ajoutés à des suites de sons porteuses de signification. Les paragraphes qui suivent n'exposeront rien d'autre que la forme extérieure et la valeur intrinsèque de ces préfixes et suffixes.

2. En plusieurs occasions, il faudra compter avec un préfixe ou/et un suffixe *zéro*. On appelle préfixe (ou suffixe) zéro, une opposition marquée par *l'absence* d'un préfixe (ou suffixe). Cette absence de préfixe (ou suffixe), à l'intérieur du système, est aussi importante que la présence de n'importe quel préfixe (ou suffixe). C'est une telle opposition qui permet de distinguer, par exemple, ʃãtõ et ʃãt – nu ʃãtõ et ʃãtõ. De même, ʒəʃãt se distingue de ʒəʃãtɛ uniquement par l'absence d'un suffixe.

3.1.1.1 *Les déclarations de la fonction I*

La grande caractéristique de la fonction I consiste en ce que toute suite sonore actualisée en cette fonction doit effectuer six déclarations, qui sont celles d'un *mode grammatical*,

3.1 Étude des fonctions grammaticales du français hors du discours

3.1.1 PHÉNOMÈNES SYNTAGMATIQUES RELATIFS À LA FONCTION I

3.1.1.0 *Remarques préliminaires*

1. Il est à noter, une fois pour toutes, que tout élément PRÉFIXAL identifié au plan de la langue parlée devient, au plan de la langue écrite, un élément *séparé de l'unité* à laquelle il sert de préfixe. Tout élément SUFFIXAL, au contraire, constitue *un seul groupe graphique* avec l'unité à laquelle il sert de suffixe.

Exemples: JE chantAIS – NOUS chantIONS – ILS marcheRAIENT.

2. Il existe tout un système d'*éléments suffixaux* PUREMENT GRAPHIQUES dont le représentation est obligatoire, bien qu'ils ne correspondent à aucun suffixe de la langue parlée.

Exemples: Il chantE – Il finiT – IlS chantENT – IlS riENT – Je riaiS – IlS riaiENT.

3.1.1.1 *Les déclarations de la fonction I*

Parmi toutes les fonctions lexicales du français contemporain, la fonction de procès est celle qui offre l'écart le plus considérable entre la structure de la langue parlée et le système d'un *temps grammatical*, d'une *personne grammaticale*, d'un *nombre*, d'une *voix* et d'un *aspect*.

1. LE MODE

Quand on s'arrête à considérer les diverses formes que peuvent revêtir les suites sonores s'actualisant en fonction I, il apparaît immédiatement qu'elles peuvent se classer en quatre catégories, suivant la *manière* dont se trouve envisagé le procès exprimé par chaque fonction I. Traditionnellement, ces manières s'appellent des *modes*. Nous dirons plus loin (en traitant des phénomènes syntaxiques) quelle est la valeur de chacun de ces modes : pour l'instant, contentons-nous de les énumérer. Ce sont : le mode *indicatif*, le mode *subjonctif*, le mode *impératif* et le mode *potentiel*. – *Exemples :* indicatif, NOUS CHANTONS ; subjonctif, QUE NOUS CHANTIONS ; impératif, CHANTONS ; potentiel, NOUS CHANTERIONS.

2. LE TEMPS GRAMMATICAL

A l'intérieur de ces modes, et outre la déclaration respective de chacun de ceux-ci, toute suite sonore actualisée en fonction I doit déclarer un *temps grammatical*.

Il importe de souligner que ce *temps grammatical* n'est pas nécessairement en rapport avec le *temps réel*. Ainsi, on dira très bien : MES VACANCES COMMENCENT DANS HUIT JOURS, énoncé dans lequel la fonction I déclare un *temps grammatical présent*, tout en se référant évidemment à un *temps réel futur*. De même, on dira encore : VOUS, LE FILS D'UN TEL ? VOUS SEREZ DONC MON COUSIN !, sans intention de rapporter l'inférence à un *temps réel futur*.

Or, le français contemporain distingue trois temps grammaticaux : un *présent*, un *passé* et un *futur*. Le *futur* fait défaut aux modes *subjonctif* et *impératif*, mais les trois temps grammaticaux se retrouvent au mode indicatif.

graphique destiné à représenter cette structure. Cela confère au système écrit une très grande autonomie, fondée en bien des cas sur un évident souci d'étymologie.

On trouvera plus loin, sur les pages de droite, l'aspect que présentent, au plan de l'écriture, les diverses séries de formes d'actualisation qu'on peut lire en transcription sur les pages de gauche.

Exemples :

présent :   NOUS CHANTONS   – QUE NOUS CHANTIONS
passé :   NOUS CHANTIONS   – NOUS AVONS CHANTÉ
futur :   NOUS CHANTERONS   – NOUS AURONS CHANTÉ.

3. LA PERSONNE GRAMMATICALE

Autre caractéristique de la fonction I : elle doit déclarer une *personne grammaticale.*

La nomenclature traditionnelle relative aux personnes grammaticales peut se discuter sur un plan théorique, mais la distinction de trois formes différentes demeure réelle et il nous faut en rendre compte. A toutes fins pratiques, et dans l'esprit du présent travail, nous utiliserons les dénominations traditionnelles et parlerons de trois *personnes grammaticales,* qui sont : *la première, la deuxième* et *la troisième.*

Chacune de ces personnes est déclarée au moyen d'un jeu de préfixes et de suffixes, dont nous établirons la liste après avoir parlé des autres déclarations de la fonction I.

4. LE NOMBRE

Le français distingue deux catégories du nombre : *l'unité* et la *pluralité* à partir de deux.

Rapprochant cette distinction de celle des trois personnes grammaticales, nous obtenons donc la possibilité de déclarer six personnes grammaticales, qui seront :

a. une première personne du singulier ;
b. une deuxième personne du singulier ;
c. une troisième personne du singulier ;
d. une première personne du pluriel ;
e. une deuxième personne du pluriel ;
f. une troisième personne du pluriel.

Les *préfixes* déclarant les 2 premières personnes grammaticales sont invariables. Ce sont : JE, TU, NOUS, VOUS. La

3me personne grammaticale distingue IL (ILS) pour le masculin, et ELLE (ELLES) pour le féminin.

Quant aux *suffixes* utilisés pour les mêmes déclarations, nous en donnerons le système un peu plus loin, après avoir dit un mot d'explication sur la *voix* et l'*aspect*.

5. LA VOIX

Pour bien comprendre le phénomène dont nous allons maintenant nous occuper, il importe d'établir une démarcation précise entre le plan *sémantique* et le plan *morphologique*, et nous persuader que la *voix* est à situer EXCLUSIVEMENT AU PLAN DE LA MORPHOLOGIE. Autrement dit, QUELLE QUE PUISSE ÊTRE LA VALEUR DE SIGNIFICATION d'une suite sonore française, notre langue dispose en principe, sur le plan de l'actualisation en fonction I, d'un double jeu de morphèmes relatifs aux 4 déclarations déjà mentionnées.

Traditionnellement, ces deux séries de morphèmes sont appelées respectivement *voix active* et *voix passive*, dénomination qui est en partie inexacte, en tant qu'elle laisse croire à une *signification* automatiquement attachée à telle ou telle forme d'actualisation. Si une forme comme IL EST AIMÉ désigne bien ce qu'on appelle traditionnellement un « passif », il n'en va pas du tout ainsi, quand il s'agit d'une forme comme IL EST VENU. Nous rappelons que la différence entre IL A AIMÉ et IL EST AIMÉ (formes qui seront expliquées plus loin), est essentiellement *morphologique*, et que le plan sémantique peut n'en ressentir aucun effet. Il existe, pour parler communément, des fonctions de procès « à sens actif », quoique « de forme passive ». Comparez :

– sens actif et forme active : NOUS CHANTONS –
ILS MANGENT ;

– sens actif et forme passive : NOUS SOMMES VENUS –
ILS SONT TOMBÉS ;

– sens passif et forme passive : NOUS SOMMES AIMÉS –
ILS ONT ÉTÉ TUÉS.

Une fois bien établie l'indépendance foncière des deux plans, nous jugeons qu'il n'y a pas d'inconvénient trop grave à nous soumettre à la servitude qui fait parler de « voix active » et de « voix passive ». C'est ce que nous ferons dans les pages qui vont suivre.

6. L'ASPECT

Cette notion n'est pas toujours exprimée de façon évidente en français, mais elle existe tout de même, et nous devons en tenir compte. Elle consiste essentiellement dans l'expression d'une qualité du procès, selon laquelle celui-ci s'effectue, par exemple, une fois (à un moment donné), à plusieurs reprises (par habitude, répétition, etc.), de façon graduelle ou inchoative, ou encore selon d'autres modalités relatives à l'exécution même du procès. Par exemple, si je dis : MA BESOGNE COMMENCE DANS HUIT JOURS, je me réfère à un instant plus ou moins précis du temps réel, et j'y rattache le *commencement* de ma besogne ; mais si je dis : MA BESOGNE COMMENCE À M'ENNUYER, il n'y a plus référence à un moment déterminé : au contraire, il y a indication d'un certain état de malaise qui se dessine à la longue, qui se prolonge, qui *dure*, enfin, ce qui donne à la fonction I considérée un aspect *duratif*, tandis que la fonction I du premier énoncé contenait un aspect plutôt *ponctuel*.

Comparez de même les aspects divers des procès suivants :

– LE TRAIN FILE VERS LA MÉTROPOLE
   (= aspect vectoriel) ;
– L'ENFANT SIROTAIT SON BREUVAGE
   (= aspect duratif, itératif) ;
– PAPA RENTRE TOUS LES SOIRS À NEUF HEURES
   (= aspect habituel) ;

- CETTE DAME PORTE DES VÊTEMENTS LUXUEUX
  (= aspect habituel) ;
- ON L'A FLANQUÉ DE DEUX GARDES
  (= aspect ponctuel et terminatif) ;
- À LA FIN, IL S'ENDORMIRA
  (= aspect inchoatif).

Bien entendu, les aspects que nous venons d'illustrer ressortissent à peu près tous à la *stylistique*, et relèvent en grande partie du *contexte* où chaque fonction de procès est utilisée. Le français, pourtant, ne manque pas d'aspects qui soient exprimés directement par la *morphologie* elle-même. Comparez les formes suivantes :

- L'OISEAU VOLAIT, à côté de L'OISEAU VOLETAIT ;
- TAILLER UN CRAYON, à côté de SE TAILLADER LE VISAGE ;
- L'ENFANT BAISAIT SA MÈRE, à côté de L'ENFANT BAISOTAIT SA MÈRE ;
- LE CHEVAL TROTTE, à côté de LA SOURIS TROTTINE ;
- DORMIR, à côté de S'ENDORMIR ; JETER, à côté de PROJETER ;
- DODINER, à côté de DODELINER ; SAUTER, à côté de SAUTILLER ;
- L'EAU GAZEUSE PÉTILLE ; LES MOISSONS ONDULENT ;
- GRÉSILLER, TAPOTER, DÉGOULINER, TAMBOURINER, ENFILER, RATTACHER.

3.1.1.2 *Le mécanisme des 6 déclarations de la fonction I*

La déclaration de l'aspect, quand elle ne vient pas directement du contexte, possède son jeu de morphèmes particuliers (cf. lignes précédentes) : ceux-ci sont donc distincts des morphèmes que nous cherchons, et nous pouvons limiter notre enquête aux 5 autres déclarations de la fonction I.

Les déclarations de la personne grammaticale et du nombre sont inséparables, ce qui nous a déjà fait poser 6 formes différentes. Si nous classons maintenant ces *6 formes* selon les *3 modes* mentionnés en 3.1.1.1, et nous limitant à la *voix active*, d'abord, puis, à la *voix passive*, nous obtenons les tableaux suivants :

MODE INDICATIF, voix active

PERS. GR.	TEMPS GRAMMATICAL		
	Présent	*Passé*	*Futur*
1 sg.	ʒ(ə) —	ʒ(ə) —ɛ	ʒ(ə) —re
2 sg.	ty —	ty —ɛ	ty —ra
3 sg.	il —	il —ɛ	il —ra
1 pl.	nu(z) —õ	nu(z) —jõ	nu(z) —rõ
2 pl.	vu(z) —e	vu(z) —je	vu(z) —re
3 pl.	il(z) —	il(z) —ɛ	il(z) —rõ

	1 sg.	ʒe	ʒɔre
	2 sg.	tya(z)	tyɔra(z)
	3 sg.	ila	ilɔra
	1 pl.	nuzavõ(z) ⎱ +A	nuzɔrõ(z) ⎱ +A
	2 pl.	vuzave(z) ⎰	vuzɔre(z) ⎰
	3 pl.	ilzõ(t)	ilzɔrõ(t)

	1 sg.	ʒavɛ(z)	
	2 sg.	tyavɛ(z)	
	3 sg.	ilavɛ(t) ⎱ +A	
	1 pl.	nuzavjõ(z) ⎰	
	2 pl.	vuzavje(z)	
	3 pl.	ilzavɛ(t)	

MODE INDICATIF, voix active

PERS. GR.	TEMPS GRAMMATICAL		
	Présent	*Passé*	*Futur*
1 sg. 2 sg. 3 sg. 1 pl. 2 pl. 3 pl.	je (j') — tu — il — nous —ons vous —ez ils —	je (j') —ais tu —ais il —ait nous —ions vous —iez ils —aient	je (j') —rai tu —ras il —ra nous —rons vous —rez ils —ront
	1 sg. 2 sg. 3 sg. 1 pl. 2 pl. 3 pl.	j'ai tu as il a nous avons vous avez ils ont } +A	j'aurai tu auras il aura nous aurons vous aurez ils auront }+A
	1 sg. 2 sg. 3 sg. 1 pl. 2 pl. 3 pl.	j'avais tu avais il avait nous avions vous aviez ils avaient }+A	

MODE SUBJONCTIF, voix active

PERS. GR.	TEMPS GRAMMATICAL	
	Présent	*Passé*
1 sg. 2 sg. 3 sg. 1 pl. 2 pl. 3 pl.	k(ə) $\left\{\begin{array}{l} 3(ə) \quad —\\ ty \quad —\\ il \quad —\\ nu(z) —j\tilde{o}\\ vu(z) —je\\ il(z) \quad — \end{array}\right.$	k(ə) $\left\{\begin{array}{l} 3\varepsilon\\ ty\varepsilon(z)\\ il\varepsilon(t)\\ nuz\varepsilon j\tilde{o}(z)\\ vuz\varepsilon je(z)\\ ilz\varepsilon(t) \end{array}\right\} + A$

MODE IMPÉRATIF, voix active, temps grammatical présent

2 sg. —
1 pl. —õ
2 pl. —e

MODE POTENTIEL, voix active

PERS. GR.	TEMPS GRAMMATICAL	
	Présent	*Passé*
1 sg.	3(ə) —rɛ	3ɔrɛ(z)
2 sg.	ty —rɛ	tyɔrɛ(z)
3 sg.	il —rɛ	ilɔrɛ(t)
1 pl.	nu(z) —(ə)rjõ	nuzɔrjõ(z)
2 pl.	vu(z) —(ə)rje	vuzɔrje(z)
3 pl.	il(z) —rɛ	ilzɔrɛ(t)

The *Passé* column of the MODE POTENTIEL table is braced with $\left. \right\} + A$.

MODE SUBJONCTIF, voix active

PERS. GR.	TEMPS GRAMMATICAL	
	Présent	*Passé*
1 sg.	je (j') —	j'aie
2 sg.	tu —	tu aies
3 sg.	que (qu') { il —	que (qu') { il ait
1 pl.	nous —ions	nous ayons } +A
2 pl.	vous —iez	vous ayez
3 pl.	ils —	ils aient

MODE IMPÉRATIF, voix active, temps grammatical présent

2 sg. —
1 pl. —ons
2 pl. —ez

MODE POTENTIEL, voix active

PERS. GR.	TEMPS GRAMMATICAL	
	Présent	*Passé*
1 sg.	je (j') —rais	j'aurais
2 sg.	tu —rais	tu aurais
3 sg.	il —rait	il aurait } + A
1 pl.	nous —rions	nous aurions
2 pl.	vous —riez	vous auriez
3 pl.	ils —raient	ils auraient

NOTES sur les tableaux précédents

1. On aura remarqué que le système entier repose sur un jeu de préfixes et de suffixes. Seules troublent le système les 9 formes de présent (4 à l'indicatif, 4 au subjonctif et 1 à l'impératif) qui présentent un *morphème zéro* pour suffixe. Dans bien des cas, le *vocalisme* de ces formes subit quelque transformation, *v.g.* : JE PEUX, NOUS POUVONS – JE TIENS, NOUS TENONS.

2. Les tableaux ne présentent que 11 *séries* de formes d'actualisation. Ce sont les séries ordinairement utilisées en français parlé contemporain. Pour fin d'exhaustivité, on pourra ajouter 6 autres séries, qui sont :

a. $ʒ(ə)$ — e, i, y   nu(z) — am, im, ym
b. $kəʒ(ə)$ — as, is, ys   kənu(z) — asjõ, isjõ, ysjõ
c. $ʒy + A$ nuzym + A
d. $ʒys + A$ nuzysjõ + A
e. $kəʒys + A$ kənuzysjõ + A
f. $ε + A$ εjõ + A.

3. Les 6 personnes grammaticales possèdent toujours respectivement les six préfixes : JE, TU, IL (ELLE), NOUS, VOUS, ILS (ELLES), sauf au mode impératif, où l'on n'utilise aucun préfixe.

4. Le mode *subjonctif* préfixe en plus un /kə/ à toutes les personnes grammaticales.

5. Pour l'explication des formes avec *A*, nous renvoyons plus loin, au n° 3.4.3.5, où il sera question de cet élément *A*.

NOTES sur les tableaux précédents

1. En plus du fait (noté dans une remarque préliminaire) selon lequel tout élément préfixé est séparé dans l'écriture et tout élément suffixé immédiatement soudé, on aura remarqué que le système écrit présente une série de morphèmes suffixaux différents pour chacune des personnes grammaticales. Tout au plus se produit-il parfois qu'une première et une deuxième personnes grammaticales aient tout à fait le même suffixe (mais non le même préfixe) : par exemple : JE CHANTAIS, TU CHANTAIS.

2. Quand la langue parlée met en œuvre un morphème zéro, la langue écrite peut présenter un graphème distinctif de personne grammaticale : JE FINIS, IL FINIT – JE CHANTE, TU CHANTES – JE VIENS, IL VIENT, etc. D'où, le système écrit est beaucoup plus précis, mais aussi beaucoup plus complexe, que le système oral correspondant.

3. Certaines formes ambiguës dans la langue parlée deviennent parfaitement univoques dans la langue écrite, laquelle distingue, par exemple, IL CHANTAIT et ILS CHANTAIENT, IL RIT et ILS RIENT, etc.

MODE INDICATIF, voix passive

PERS. GR.	TEMPS GRAMMATICAL		
	Présent	*Passé*	*Futur*
1 sg.	ʒəsɥi(z)	ʒetɛ(z)	ʒəsre
2 sg.	tyɛ(z)	tyetɛ(z)	tysra(z)
3 sg.	ilɛ(t)	iletɛ(t)	ilsra
1 pl.	nusɔm(z) +A	nuzetjõ(z) +A	nusrõ(z) +A
2 pl.	vuzɛt(z)	vuzetje(z)	vusre(z)
3 pl.	ilsõ(t)	ilzetɛ(t)	ilsrõ(t)
1 sg.		ʒeete	ʒɔreete
2 sg.		tyazete	tyɔrazete
3 sg.		ilaete +A	ilɔraete +A
1 pl.		nuzavõzete	nuzɔrõzete
2 pl.		vuzavezete	vuzɔrezete
3 pl.		ilzõtete	ilzɔrõtete
1 sg.		ʒavɛzete	
2 sg.		tyavɛzete	
3 sg.		ilavɛtete + A	
1 pl.		nuzavjõzete	
2 pl.		vuzavjezete	
3 pl.		ilzavɛtete	

MODE INDICATIF, voix passive

PERS. GR.	TEMPS GRAMMATICAL		
	Présent	*Passé*	*Futur*
1 sg.	je suis	j'étais	je serai
2 sg.	tu es	tu étais	tu seras
3 sg.	il est	il était	il sera
1 pl.	nous sommes	nous étions	nous serons
2 pl.	vous êtes	vous étiez	vous serez
3 pl.	ils sont } +A	ils étaient } +A	ils seront } +A
1 sg.		j'ai été	j'aurai été
2 sg.		tu as été	tu auras été
3 sg.		il a été	il aura été
1 pl.		nous avons été	nous aurons été
2 pl.		vous avez été	vous aurez été
3 pl.		ils ont été } +A	ils auront été } +A
1 sg.		j'avais été	
2 sg.		tu avais été	
3 sg.		il avait été	
1 pl.		nous avions été	
2 pl.		vous aviez été	
3 pl.		ils avaient été } +A	

MODE SUBJONCTIF, voix passive

PERS. GR.	TEMPS GRAMMATICAL	
	Présent	*Passé*
1 sg. 2 sg. 3 sg. 1 pl. 2 pl. 3 pl.	k(ə){ 3əswa(z) tyswa(z) ilswa(t) nuswajõ(z) vuswaje(z) ilswa(t) } + A	k(ə){ 3ɛete tyɛzete ilɛtete nuzɛjõzete vuzɛjezete ilzɛtete } + A

MODE IMPÉRATIF, voix passive, temps grammatical présent

2 sg. swa(z)
1 pl. swajõ(z) } + A
2 pl. swaje(z)

MODE POTENTIEL, voix passive

PERS. GR.	TEMPS GRAMMATICAL	
	Présent	*Passé*
1 sg. 2 sg. 3 sg. 1 pl. 2 pl. 3 pl.	3əsrɛ(z) tysrɛ(z) ilsrɛ(t) nusərjõ(z) vusərje(z) ilsrɛ(t) } + A	3ɔrɛzete tyɔrɛzete ilɔrɛtete nuzɔrjõzete vuzɔrjezete ilzɔrɛtete } + A

MODE SUBJONCTIF, voix passive

PERS. GR.	TEMPS GRAMMATICAL			
	Présent		*Passé*	
I sg.		je sois		j'aie été
2 sg.		tu sois		tu aies été
3 sg.	que(qu')	il soit	que(qu')	il ait été
I pl.		nous soyons } + A		nous ayons été } +A
2 pl.		vous soyez		vous ayez été
3 pl.		ils soient		ils aient été

MODE IMPÉRATIF, voix passive, temps grammatical présent

2 sg. sois
I pl. soyons } + A
2 pl. soyez

MODE POTENTIEL, voix passive

PERS. GR.	TEMPS GRAMMATICAL	
	Présent	*Passé*
I sg.	je serais	j'aurais été
2 sg.	tu serais	tu aurais été
3 sg.	il serait	il aurait été
I pl.	nous serions } + A	nous aurions été } + A
2 pl.	vous seriez	vous auriez été
3 pl.	ils seraient	ils auraient été

Remarques sur les tableaux précédents

1. Les formes du passif sont donc toutes fondées sur l'utilisation d'une *fonction lexicale A* accompagnée d'une série de formes d'actualisation données une fois pour toutes.

2. D'autre part, comme la fonction A entre ici en jeu, il y aura lieu de tenir compte des déclarations propres à cette fonction, selon ce qui sera expliqué plus loin, au paragraphe 3.4.3.5.

3.1.2 PHÉNOMÈNES SYNTAGMATIQUES RELATIFS À LA FONCTION O

3.1.2.0 *Remarque préliminaire*

Le système entier des phénomènes syntagmatiques relatifs à la fonction O se ramène à un jeu de *préfixes* et de *suffixes* ajoutés à une suite sonore porteuse de signification. Il existe donc un parallélisme remarquable entre ce système et celui que nous avons étudié aux paragraphes précédents (cf. 3.1.1 et subdivisions).

Et les paragraphes qui suivent n'ont pour rôle que d'exposer la forme extérieure et la valeur intrinsèque de ces préfixes et suffixes.

3.1.2.1 *Le déictique de la fonction O*

En français contemporain, toute suite sonore qui s'actualise en fonction de dénomination s'accompagne automatiquement d'un *morphème préfixal* appelé *déictique*.

Remarques sur les tableaux précédents

1. Les formes données une fois pour toutes, et qui accompagnent la fonction lexicale A, suivent les lois indiquées pour les phénomènes relatifs à la voix active. La fonction A elle-même est séparée de toutes ces formes.

2. Il y a lieu, également, d'appliquer tout ce qui sera dit plus loin, aux paragraphes classés sous 3.1.3, sur la représentation écrite des phénomènes relatifs aux fonctions lexicales A.

3.1.2 PHÉNOMÈNES SYNTAGMATIQUES RELATIFS À LA FONCTION O

3.1.2.0 *Remarques préliminaires*

1. Il est à remarquer une fois pour toutes (comme ce fut le cas également pour les fonctions I) que tout élément PRÉFIXAL identifié au plan de la langue parlée devient, au plan de la langue écrite, un élément *séparé de l'unité* à laquelle il sert de préfixe. Tout élément SUFFIXAL, au contraire, constitue *un seul groupe graphique* avec l'unité à laquelle il sert de suffixe.

Exemples : LES maisonS – LA mer mortE – NOTRE amiE.

2. Il existe tout un système d'*éléments suffixaux* PUREMENT GRAPHIQUES dont la représentation est obligatoire, bien qu'ils ne correspondent à aucun suffixe de la langue parlée.

Exemples : LeS amiS – NoS maisonS – Une pattE – Deux amiES.

3.1.2.1 *Le déictique de la fonction O*

Le déictique est ordinairement *séparé* de la fonction O elle-même : *LE cheval – LA maison – DEUX enfants.*

La *valeur syntaxique* du déictique sera étudiée plus loin, à l'occasion de la fonction lexicale E dont ce déictique fait partie (cf. 3.1.4.2 et 3.4.4.2). Pour l'instant, signalons seulement que, envisagé du *point de vue sémantique*, le déictique se subdivise en 4 classes :

a. un déictique qui annonce simplement une fonction O, d'une manière générale ou particulière. Exemples : *UN bureau – UNE table – LE crayon – LES maisons;*

b. un déictique qui attire l'attention sur le contenu de la fonction O, un peu à la manière d'une flèche indicatrice. Exemples : *CE bureau – CETTE maison – CES arbres-CI – CETTE maison-LÀ* (dans ces deux derniers exemples, le déictique est à la fois préfixal et suffixal) ;

c. un déictique qui souligne la possession. Exemples : *MON bureau – TA maison – LEURS crayons – SES ciseaux;*

d. un déictique qui est en même temps un quantificateur.

Exemples : *DEUX maisons – UN crayon* (par opposition à *deux,* etc.) *– PLUSIEURS animaux – CERTAINES dames.*

N.B. Avec les fonctions O commençant par une voyelle, les déictiques LE et LA prennent le plus souvent la forme de /l/ : *lãfã – lima:ʒ – lotœ:r.*

Un nombre assez considérable de fonctions O commençant par une voyelle reçoivent tout de même les déictiques LE et LA :
lə ero – lə oma:r – le a :l – la aʃ : – la yt – la ãp.

Enfin, on a affaire, parfois, à un *déictique zéro :* PAUVRETÉ n'est pas VICE – J'ai tout le nécessaire : PAPIER, PLUME, ENCRE.

3.1.2.2   *Le genre grammatical et la fonction O*

Toute suite sonore qui s'actualise en fonction O doit déclarer à la fois un *genre grammatical* et un *nombre.* Étudions d'abord le *genre grammatical.*

Il *se soude*, cependant (avec *apostrophe*), dans les cas de fonctions O précédées du déictique *l'* (devant fonction O commençant, dans la langue parlée, par une voyelle) :
L'IMAGE, L'ENFANT, L'IDÉE, L'HOMME.

N.B. Quand la langue parlée emploie LE ou LA devant une fonction O commençant par une voyelle, alors l'écriture présente le plus souvent un *h-* au début de la fonction O en question :
LE Héros – LA Hache – LA Hauteur.
(On ne retrouve pas ce *h-* dans le cas des mots étrangers commençant par y- : LE YACHT, LE YOGOURT, ni dans certains cas consacrés par l'usage : LE ONZE, LE ONZIÈME, LE OUI, LE OUISTITI, etc.)

3.1.2.2   *Le genre grammatical et la fonction O*

Il existe un signe graphique spécialisé dans l'indication du genre grammatical féminin : c'est un *-e :*
chattE, marinE, capitalE, nainE.

Le français contemporain distingue deux genres grammaticaux déclarés par les fonctions O : un genre grammatical
masculin et un genre grammatical *féminin*. (LE, dans certains
contextes, et CELA déclarent en outre un genre *neutre*, mais ils
sont seuls de leur catégorie).

Ces genres grammaticaux peuvent être déclarés de trois
manières différentes :

    a. au moyen du déictique dont nous avons, au paragraphe
précédent, posé la nécessité. Exemples :
    UN tour, UNE tour – UN trompette, UNE trompette ;
    LE cheval – CETTE maison ;
    b. au moyen d'un *morphème suffixal* (auquel s'ajoutera
quand même le déictique, bien entendu). Exemples :
    instituTEUR, instituTRICE ;
    chanTEUR, chanTEUSE ;
    citoyEN, citoyENNE ;
    c. grâce au *contexte* (quand les deux autres moyens ne suffi-
sent pas). Exemples : Madame X... est une femme de grand
renom : elle est MÉDECIN (ou : DOCTEUR) à l'hôpital de
B...

3.1.2.3   *Le nombre et la fonction O*

Nous avons vu, à l'occasion de la fonction I, que le français
contemporain distingue deux nombres : un *singulier* et un
pluriel (à partir de deux unités). Ces nombres peuvent être
déclarés, quand il s'agit de la fonction O, de deux manières
différentes :

    a. au moyen du déictique vu précédemment. Exemples :
LA maison, LES maisons ; UNE maison, DES maisons ;
SIX maisons, DEUX enfants ;

N.B. Dans le cas de fonction O *commençant par une voyelle*,
on trouve presque toujours un morphème /z/ inséré entre le
déictique et la fonction O : dø-z-ãfã – no-z-ide.

Mais il faut savoir que toute suite sonore terminée dans l'écriture par un -*e* n'a pas nécessairement le *genre grammatical féminin :* cf. *un hommE, le meublE, ce templE,* etc.

3.1.2.3 *Le nombre et la fonction O*

Il existe un signe graphique spécialisé dans l'indication du nombre *pluriel :* c'est -*s*. Exemples : *MaisonS – enfantS – amiS.*

Mais toute suite sonore terminée dans l'écriture par un -*s* n'est pas nécessairement du nombre pluriel : cf. *le palaiS – un boiS – ce tapiS.*

Certaines fonctions O, cependant, (terminées en $/$-*u* $/$, en $/$-*ø* $/$ ou en $/$-*o* $/$ dans la langue parlée), déclarent leur pluriel au moyen du signe -*x* au lieu du signe -*s. Exemples* : DES BIJOUX, DES CHOUX ; DES TABLEAUX, DES BATEAUX ; DES JEUX, DES VŒUX.

N.B. 1. L'écriture tient compte de la forme écrite du *singulier,* avant de décider si *la marque écrite du pluriel* doit

b. au moyen d'un *morphème suffixal* (en plus du déictique, toujours) :
(le) chevAL – (les) chevAUX ;
(un) animAL – (des) animAUX.

Avant de passer à l'étude de la fonction O personnelle, dressons une liste des différents déictiques rencontrés dans la langue française contemporaine, en les classant d'après leur valeur *sémantique* (cf. 3.1.2.1) :

	GENRE GRAMMATICAL			
	masculin		*féminin*	
1re *classe*	lə, l, œ̃, dy	lɛ, dɛ	la, l, yn, dəla	lɛ, dɛ
2e *classe*	sə, sɛt sə... si sə... la sɛt... si sɛt... la	sɛ sɛ... si sɛ... la	sɛt sɛt... si sɛt... la	sɛ sɛ... si sɛ... la
3e *classe*	mɔ̃, tɔ̃, sɔ̃, nɔtr, vɔtr, lœ:r	mɛ, tɛ, sɛ, no, vo, lœ:r	ma (mɔ̃), ta (tɔ̃), sa, nɔtr, vɔtr, lœ:r	mɛ, tɛ, sɛ, no, vo, lœ:r
4e *classe*	œ̃, kɛlk, sɛrtɛ̃...	dø, trwa, kɛlk, sɛrtɛ̃...	yn, kɛlk, sɛrtɛn...	dø, trwa, kɛlk, sɛrtɛn...
	singulier	pluriel	singulier	pluriel
	NOMBRE			

être assignée. Ainsi, quand une fonction O présente au singulier une finale en *-z*, en *-s* ou en *-x*, cette fonction ne prend aucune marque écrite du pluriel. *Exemples :* UN NEZ, DES NEZ – UN PALAIS, DES PALAIS – UNE VOIX, DES VOIX.

2. Les marques du pluriel *-s* et *-x* ne correspondent à un *son* de la langue parlée que dans le cas signalé au *N.B.* de la page opposée. Partout ailleurs, ces signes sont *purement graphiques.*

Voici la forme écrite correspondant à chacune des formes de déictiques transcrites en regard, sur la page de gauche :

	GENRE GRAMMATICAL			
	masculin		*féminin*	
1ʳᵉ *classe*	le, l', un du	les, des	la, l', une de la	les, des
2ᵉ *classe*	ce, cet ce...-ci ce...-là cet...-ci cet...-là	ces ces...-ci ces...-là	cette cette...-ci cette...-là	ces ces...-ci ces...-là
3ᵉ *classe*	mon, ton, son, notre, votre, leur	mes, tes, ses, nos, vos, leur	ma (mon,) ta (ton), sa, notre, votre, leur	mes, tes, ses, nos, vos, leurs
4ᵉ *classe*	un, quelque, certain...	deux, trois, quelques, certains...	une, quelque, certaine...	deux, trois, quelques, certaines...
	singulier	pluriel	singulier	pluriel
	NOMBRE			

3.1.2.4 *La fonction O personnelle*

Il existe en français contemporain un certain nombre de suites sonores qui, tout en s'actualisant en fonction de dénomination, se rapportent *sémantiquement* à l'une ou à l'autre des *personnes grammaticales* rencontrées dans la fonction de procès (cf. 3.1.1.1). Nous appelons les suites sonores ainsi actualisées des *fonctions O personnelles*. Leur nombre est plutôt réduit, mais leur catégorie n'en est pas moins importante : elles peuvent aller jusqu'à servir de fonction « passe-partout » dans la langue.

En voici les diverses formes, classées d'après les personnes grammaticales auxquelles elles se réfèrent :

	GENRE GRAMMATICAL			
PERS. GR.	*masculin*		*féminin*	
1ʳᵉ	mə mwa m mwamɛ:m	nu numɛ:m	mə mwa m mwamɛ:m	nu numɛ:m
2ᵉ	tə twa t twamɛ:m	vu vumɛ:m	tə twa t twamɛ:m	vu vumɛ:m
3ᵉ	lə, lɥi l, ɑ̃, i swa, sə, s swamɛ:m	lɛ, lœ:r ø, ɑ̃, i swa, sə, s swamɛ:m	la, lɥi ɛl, l, ɑ̃, i swa, sə, s swamɛ:m	lɛ, lœ:r ɛl, ɑ̃, i swa, sə, s swamɛ:m
	singulier	pluriel	singulier	pluriel
	NOMBRE			

3.1.2.4 *La fonction O personnelle*

La fonction O personnelle *peut* se souder, mais au moyen du *trait d'union* seulement, *même si* elle est un élément *suffixal :* DONNE-LE-MOI – IL ME LE DONNE.

Dans le cas de fonction personnelle prenant la forme de |*m*|, |*t*| ou |*l*|, on utilise *l'apostrophe*, dans l'écriture : *Je L'ai vu – je T'ai entendu – il M'a vu.*

Voici, maintenant, les formes écrites correspondant aux formes de la langue parlée contenues dans le tableau de la page opposée :

	GENRE GRAMMATICAL			
PERS. GR.	*masculin*		*féminin*	
1re	me moi m' moi-même	nous nous-mêmes	me moi m' moi-même	nous nous-mêmes
2^e	te toi t' toi-même	vous vous-mêmes	te toi t' toi-même	vous vous-mêmes
3^e	le, lui l', en, y soi, se, s' soi-même	les, leur eux, en, y soi, se, s' soi-même	la, lui elle, l', en, y soi, se, s' soi-même	les, leur elles, en, y soi, se, s' soi-même
	singulier	pluriel	singulier	pluriel
	NOMBRE			

NOTE sur le tableau précédent

La présence de /m/, /t/, /l/, /s/ s'explique par le fait que, à l'instar du déictique (cf. *LE, LA* sous forme /l/, n° 3.1.2.1), les fonctions personnelles ME, TE, LE, SE deviennent /m/, /t/, /l/, /s/, quand elles précèdent une voyelle. *V.g.:* ʒəlevy – tymakõpri.

Certaines fonctions O personnelles n'ont qu'un rapport sémantique assez lâche avec la troisième personne grammaticale. *Exemples:* CECI, CELA, RIEN, TOUT, NUL, QUELQUE CHOSE, PERSONNE, AUCUN, QUELQU'UN, D'AUCUNS, QUELQUES-UNS, CERTAINS, PLUSIEURS, etc. Exemples de fonctions O personnelles utilisées dans des contextes :

Ce travail ME fatigue.

MOI, je vous LE dis.

Donnez-LE-MOI.

TOI, tu m'embêtes.

CELA m'ennuie.

D'AUCUNS s'y refusent.

3.1.3 PHÉNOMÈNES SYNTAGMATIQUES RELATIFS À LA FONCTION A

3.1.3.0 *Remarque préliminaire*

Le français distingue trois espèces de fonctions A : 1) une espèce qui a pour rôle de spécifier une fonction I, *v.g.: Il court VITE, Elle dort PEU;* 2) une espèce qui a pour rôle de spécifier une fonction O, *v.g.: Une cour SPACIEUSE, Deux photos AGRANDIES;* et 3) une espèce qui a pour rôle de spécifier une autre fonction A, *v.g.: Un discours TRÈS ennuyeux, Une personne EXCEPTIONNELLEMENT séduisante, Il court TRÈS vite, Elle dort FORT peu.*

3.1.3 PHÉNOMÈNES SYNTAGMATIQUES RELATIFS À LA FONCTION A

3.1.3.0 *Remarques préliminaires*

1. Il y a lieu de rappeler ici qu'il existe, au plan de la fonction A comme précédemment au plan de la fonction O, tout un système d'*éléments suffixaux* PUREMENT GRAPHIQUES dont la représentation est obligatoire, bien qu'ils ne correspondent à aucun suffixe de la langue parlée. *Exemples :*

fameuX, fameusE – royalE, royauX – fidèlE, fidèlES.

3.1.3.1 *La fonction A spécifiant une fonction I*

Cette fonction A ne déclare jamais ni genre grammatical, ni nombre. Sa forme est définitivement fixée. *Exemples: Ce cheval court VITE – Une cantatrice qui chante FAUX – Allez-y PRU-DEMMENT – Vous écrivez déjà MIEUX.*

Parmi les fonctions A spécifiant des fonctions I, il faut compter la *négation*, qui se présente ordinairement sous la forme d'une suite sonore discontinue, embrassant la fonction I. Il en sera directement question plus loin, en 3.3.3.

3.1.3.2 *La fonction A spécifiant une fonction O*

Cette fonction A, contrairement à la précédente, doit toujours déclarer et un genre grammatical et un nombre.

Le *genre grammatical* peut être déclaré au moyen d'un *élément suffixal*, comme dans : *Le moment FAMEUX, la date FAMEUSE; TOUT besoin, TOUTE nécessité.* Mais il peut aussi, en l'absence de tout morphème indicateur suffixé à la fonction A elle-même, être déclaré ou par le déictique (*v.g.: LE chien docile, LA jument docile*) ou par la fonction O qui est spécifiée (*v.g.: notre tenture jaune, notre pinceau jaune*).

3.1.3.3 *La fonction A spécifiant une autre fonction A*

Tout se passe le plus souvent comme dans le cas de la fonction A spécifiant une fonction I, c.-à-d. qu'il n'y a pas de

2. La fonction A, qu'elle spécifie une fonction I, une fonc-
tion O ou une autre fonction A, peut prendre les aspects les
plus divers, dans l'écriture. Comparez :
  – Venez VITE, venez TOUT DE SUITE ;
  – Rideau VERT, rideau LIE DE VIN ;
  – TRÈS recherché, PAR TROP recherché ;
  – Etc.

déclaration de genre grammatical ni de nombre : *TRÈS haut – IMMENSÉMENT grande – TROP fragile – ASSEZ large – PAS définitif.*

Parfois, cependant, il y a déclaration de genre grammatical et de nombre : *Des fleurs FRAÎCHES cueillies – Une fenêtre GRANDE ouverte – Elle est arrivée BONNE première.*

3.1.4 PHÉNOMÈNES SYNTAGMATIQUES RELATIFS À LA FONCTION E

Selon ce qui a été établi précédemment en 1.2.2.4, le français distingue 3 espèces de fonctions de signalisation. Étudions chacune en particulier.

3.1.4.1 *La fonction Ea*

Cette fonction ne déclare jamais ni genre grammatical, ni nombre ; sa forme est définitivement fixée. *Exemples : OR, PAR CONSÉQUENT, D'OÙ.*

3.1.4.2 *La fonction Ei*

Certaines fonctions Ei déclarent un genre grammatical et un nombre : ce sont, en fait, les *déictiques* de la fonction O, dont la classification a déjà été fournie à la fin du paragraphe 3.1.2.3.

Une seconde catégorie de fonctions Ei comprend les *morphèmes préfixaux* indicateurs de personnes grammaticales, dont nous avons traité au 3. de la *Note* ajoutée au paragraphe 3.1.1.2. Il est à noter ici que seule la 3ᵉ personne grammaticale déclare un genre grammatical, en distinguant IL(S) pour le masculin et ELLE(S) pour le féminin. Les autres personnes grammaticales ne déclarent que le nombre (singulier ou pluriel).

3.1.4 PHÉNOMÈNES SYNTAGMATIQUES RELATIFS À LA FONCTION E

Il importe de noter ici qu'on trouve une immense variété dans la représentation graphique des fonctions de signalisation. Comparez :

- *fonctions Ea :* ALORS, PAR CONSÉQUENT, ENFIN, DE MÊME, etc. ;
- *fonctions Ei :* LA, BEAUCOUP DE, LA PLUPART DE, VINGT-QUATRE, etc. ;
- *fonctions En :* AFIN QUE, À DESSEIN QUE, PUISQUE, etc.

Parfois, *la sémantique* oblige à distinguer dans l'écriture des fonctions En qui sont identiques au plan de la langue parlée :

QUOIQUE – QUOI QUE ;
PARCE QUE – PAR CE QUE ;
QUELQUE(S) – QUEL(LE, LES, S) QUE ;
Etc.

3.1.4.3 *La fonction En*

Certaines fonctions En ne déclarent ni genre grammatical, ni nombre : leur forme est définitivement fixée. *Exemples :* *DE, AFIN QUE, DONT, QUI.*

D'autres, par contre, peuvent déclarer un genre grammatical et/ou un nombre. Cela se produit dans les cas de fonctions I rattachées à une fonction O, dont il sera fait état en 3.4.1.6. *Exemples : Le livre DANS LEQUEL on a fait des marques – La ville DANS LAQUELLE tu as séjourné – C'est une personne À LAQUELLE je suis redevable.*

3.2 Les rapports syntaxiques dans le déroulement de l'énoncé

3.2.0 REMARQUE PRÉLIMINAIRE

Avec le paragraphe précédent, nous avons complété l'étude des fonctions lexicales de la langue française. Nous avons établi le système sous-jacent aux jeux d'actualisation des suites sonores françaises et dressé la liste des formes offertes à celles-ci en vue de l'édification d'énoncés divers. Il nous reste maintenant à interpréter les formes vues précédemment, avec les implications qu'elles comprennent et les incidences qu'elles entraînent, lorsqu'elles sont non plus considérées au plan syntagmatique, mais portées sur le plan syntaxique.

Toutefois, avant d'entreprendre cette nouvelle tâche, nous allons nous arrêter un instant à quelques phénomènes déjà proprement syntaxiques, en tant que supposant un déroulement, mais qui concernent tout de même plusieurs catégories de fonctions lexicales. Ces phénomènes participent donc de deux plans simultanément, étant à la fois syntagmatiques et syntaxiques. Ce sont : le *nœud syntaxique*, la *complémentarité syntaxique* et l'*ordre des fonctions* dans le déroulement.

3.2.1 LE NŒUD SYNTAXIQUE

Le sujet que nous attaquons ici est d'une extrême importance. Il s'agit d'identifier et de cataloguer les divers rôles syntaxiques remplis par une fonction O par rapport à une fonction I, et du même coup ouvrir la voie à une analyse strictement syntaxique du donné brut de la langue.

3.2.1.1 *Le malentendu initial*

Lorsqu'un énoncé quelconque est essentiellement constitué par une fonction O seule (ou accompagnée de fonction A), ou par une fonction I seule (ou accompagnée de fonction A), aucune difficulté particulière ne se présente : on applique purement et simplement ce qui vient d'être dit des phénomènes syntagmatiques relatifs aux fonctions O, I et A. *Exemples :*

a. Énoncés à base de fonction O seule :
   Les tricheurs – O Canada, mon pays, mes amours – La peste.

b. Énoncés à base de fonction O accompagnée de fonction A :
   L'enfant perdu(e) – Le soulier de satin – Grammaire structurale.

c Énoncés à base de fonction I seule :
   Il pleut – Plaît-il ? – Rentrons !

d. Énoncés à base de fonction I accompagnée de fonction A :
   Rentrons vite ! – Tu travailles bien – Nous partirons demain.

Mais dès qu'il s'est agi, aux temps les plus reculés de notre grammaire traditionnelle, de reconnaître et de dénommer la fonction syntaxique remplie par LE CHAT dans un énoncé comme LE CHAT DÉVORE LA SOURIS, on a introduit – et conservé séculairement – la notion de « sujet ». C'était bâtir sur un malentendu.

En effet, la notion de « sujet », quoique fort pertinente en logique, n'eût jamais dû être introduite en analyse linguistique, où son emploi conduit à des ambiguïtés déplorables. Car le « sujet » (c'est la grammaire traditionnelle qui l'enseigne), c'est « celui qui fait ou subit l'action exprimée par le verbe ». Remarquons, en premier lieu, que cette définition se réfère à la logique et à la sémantique, mais non à la syntaxe : celle-ci ne saurait reconnaître « celui qui fait l'action » ; elle établit seulement des rapports d'un ordre particulier entre les éléments constitutifs du discours. De plus, il est curieux de noter que dans les deux *énoncés syntaxiquement différents*: LE CHAT DÉVORE LA SOURIS et LA SOURIS EST DÉVORÉE PAR LE CHAT, la même définition va convenir à la même suite sonore LE CHAT, pour faire de celui-ci le « sujet » ou « celui qui fait l'action ». En même temps, et d'autre part, LA SOURIS, qui sera appelée « sujet » dans LA SOURIS EST DÉVORÉE PAR LE CHAT, se trouve également « sujet » dans LE CHAT DÉVORE LA SOURIS, puisque aussi bien elle représente ici encore « celle qui subit l'action ». On voit donc que la notion de « sujet » n'a rien de syntaxique : en tant que notion logique ou sémantique, elle est impuissante à rendre compte de la grande différence *syntaxique* qui règne entre les deux énoncés : LE CHAT DÉVORE LA SOURIS et LA SOURIS EST DÉVORÉE PAR LE CHAT. Voyons cela en schéma :

A.
> LE CHAT DÉVORE LA SOURIS :
>   *le chat* = « sujet »
>   = « celui qui fait l'action » ;
> LA SOURIS EST DÉVORÉE PAR LE CHAT :
>   *le chat* = « sujet »
>   = « celui qui fait l'action ».

B.
> LA SOURIS EST DÉVORÉE PAR LE CHAT :
>   *la souris* = « sujet »
>   = « celle qui subit l'action » ;
> LE CHAT DÉVORE LA SOURIS :
>   *la souris* = « sujet »
>   = « celle qui subit l'action ».

Deux idées sont donc exprimées respectivement en A et en B, mais chacune des deux idées est exprimée de deux manières différentes et CETTE DIFFÉRENCE RÉSIDE TOUT ENTIÈRE AU PLAN SYNTAXIQUE. Une analyse linguistique doit donc rendre compte de cette différence.

Quant à la formule qui consiste à définir le « sujet » comme étant « celui dont on dit quelque chose », elle n'apparaît pas

plus linguistique que la précédente, car sa teneur même en fait
une explication directement rattachée à la logique et à la
sémantique. Elle ne dit pas encore en termes proprement
syntaxiques quel rapport unit le « sujet » avec son « verbe ».
Comment donc arriverons-nous à établir ce rapport?

3.2.1.2 *Explication structurale*

Essayons de voir sans préjugé ce qui se passe dans les deux
énoncés déjà cités. De façon schématique, il s'agit d'une
fonction I entourée de deux fonctions O remplissant chacune
un rôle particulier par rapport à cette fonction I. *Sémantique-*
ment, l'idée exprimée est la même : on signale une orgie féline
avec mets de choix... *Linguistiquement* (et c'est le seul point
de vue qui nous intéresse ici), on retrouve une fonction O
LE CHAT et une fonction O LA SOURIS utilisées dans chaque
énoncé de telle manière que la fonction O LA SOURIS, dans
le second énoncé, remplit par rapport à la fonction I le même
rôle que LE CHAT remplissait dans le premier énoncé. La
question que nous posons est donc celle-ci : COMMENT
DÉFINIR, EN TERMES PROPREMENT SYNTAXIQUES, LE RAPPORT
QUI UNIT CE QUE, TRADITIONNELLEMENT, ON APPELLE LE
« SUJET » ET SON « VERBE », ou, en d'autres termes, ce qui unit
LE CHAT à DÉVORE et LA SOURIS à EST DÉVORÉE?
Le « sujet » et son « verbe » sont intimement liés et s'influen-
cent réciproquement, indépendamment de toute autre fonction qui peut figurer avec eux dans un énoncé. Ils se comportent comme deux éléments qui sont si bien faits l'un pour
l'autre, qu'ils constituent à eux seuls un phénomène syntaxique
identifiable qu'il faut maintenant étiqueter. Voyons d'abord
comment les choses se passent, dans le concret :

L'ENFANT S'EN VA : les 2 fonctions déclarent un même nombre
    et une même personne grammaticale ;
LES ENFANTS S'EN VONT : même remarque ;
L'ENFANT S'EN VA AU JARDIN : ce qu'on ajoute n'influence en
    rien l'état précédent ;

LES ENFANTS S'EN VONT JOUER AU JARDIN : même remarque ;
BÉBÉ ET MOI JOUONS AU JARDIN : la personne grammaticale et
  le nombre déclarés par la fonction I dépendent directement
  de BÉBÉ et de MOI ;
BÉBÉ ET TOI JOUEREZ AU JARDIN : même remarque ;
BÉBÉ ET TOI JOUEREZ AU BALLON APRÈS LA CLASSE : la fonction I
  est influencée par BÉBÉ et TOI, mais non par le reste.

Il se forme donc, entre les fonctions que nous sommes en
train d'étudier, comme *un lien très intime* et d'une nature
particulière, engendrant pour les fonctions O et les fonctions I
la possibilité d'entrer en un rapport syntaxique spécial que
nous appellerons un NŒUD SYNTAXIQUE ou une FONCTION
NODALE.

Le *nœud syntaxique*, par conséquent, sera défini comme LE
RAPPORT STRUCTURAL QUI PERMET À UNE FONCTION O ET À UNE
FONCTION I DE FORMER CONJOINTEMENT UNE CELLULE SYN-
TAXIQUE AUTONOME SUSCEPTIBLE DE RECEVOIR DES COMPLÉ-
MENTS EXTERNES.

Ce nœud syntaxique n'est pas indispensable à l'existence
d'un énoncé : on peut avoir des énoncés complets comme IL
FAIT CHAUD – IL PLEUT – REGARDEZ – PARTONS
TOUT DE SUITE, où la fonction I n'entre pas en *fonction
nodale* avec une fonction O. Par contre, si nous avons : PIER-
ROT MANGE UNE POMME et LISE COURT AU JARDIN,
PIERROT et MANGE d'une part, LISE et COURT d'autre
part entrent en fonction nodale dans leur énoncé respectif.

Revenons maintenant à nos énoncés du début. Dans LE
CHAT DÉVORE LA SOURIS, nous avons une fonction
nodale remplie par la fonction O LE CHAT et par la fonction I
DÉVORE ; dans LA SOURIS EST DÉVORÉE PAR LE
CHAT, la même fonction nodale est remplie cette fois par
LA SOURIS et par EST DÉVORÉE : le changement de
voix dans la fonction I indique que LE CHAT, *sémantiquement* « sujet » de l'énoncé, n'est plus, dans le second énoncé,
dans le même *rapport syntaxique* vis-à-vis de la fonction I. Nous
étudierons ce phénomène particulier un peu plus loin, en 3.4.1.4.

Notons seulement ici que cette *voix* de la fonction I n'a rien à voir avec le « sujet » traditionnel de l'énoncé, qui peut demeurer identique sous diverses expressions linguistiques, comme on l'a vu plus haut, dans le schéma du paragraphe 3.2.1.1. L'explication que nous proposons est donc proprement linguistique, puisqu'elle rend compte des *différences syntaxiques*, et elle a l'avantage de supprimer toute ambiguïté, en ne faisant appel à aucune notion de logique ou de sémantique.

3.2.2 LA COMPLÉMENTARITÉ SYNTAXIQUE

Nous voilà fixés, quant à l'interprétation linguistique du rapport logique « sujet-verbe » : la *fonction nodale* définit syntaxiquement ce rapport. Mais on a souvent plus que cela, dans un énoncé : le nœud syntaxique explique PIERRE CHANTE et LA SOURIS GRIGNOTE, mais il n'explique pas tout, dans des énoncés comme PIERRE CHANTE À L'ÉCOLE et LA SOURIS GRIGNOTE UN FROMAGE. Comment définir, en termes proprement syntaxiques, le rôle rempli par À L'ÉCOLE et par UN FROMAGE, dans les énoncés précités?

Pour y arriver, il suffira de considérer que le nœud syntaxique n'est pas la seule manière, pour une fonction O, d'entrer en relation avec une fonction I. Il y a aussi le rapport que nous appellerons la *complémentarité syntaxique*, auquel fait déjà allusion notre définition du nœud syntaxique, quand elle mentionne la possibilité de « compléments externes » à la cellule syntaxique engendrée par la fonction nodale.

Une fonction O est syntaxiquement *complémentaire* d'une fonction I, quand elle figure, dans le discours, de manière à *compléter* – syntaxiquement et aussi sémantiquement – l'expression du procès énoncé par cette fonction I. *Exemples :*

a. *Fonctions I non complétées :* IL PLEUT

PIERRE CHANTE

LA SOURIS GRIGNOTE

b. *Fonctions I complétées :* IL PLEUT SUR LA VILLE
PIERRE CHANTE À L'ÉCOLE
PIERRE CHANTE UNE ROMANCE
PIERRE CHANTE AVEC FORCE
LA SOURIS GRIGNOTE DANS LA CUI-
SINE
LA SOURIS GRIGNOTE UN FROMAGE.

Bien entendu, les nuances de *signification* sont énormes, d'un exemple à l'autre : on y exprime le *temps*, le *lieu*, la *cause*, etc. Mais une analyse *purement linguistique* comme la nôtre n'a pas à en tenir compte : *la syntaxe ignore totalement la différence sémantique* qui sépare, par exemple, LA VOITURE ROULA SIX HEURES de ON M'A ALLOUÉ SIX HEURES, ou encore celle qui sépare JE PRÉFÈRE L'ÉTÉ de JE ME PROMÈNE L'ÉTÉ. Il faudra donc laisser à la *sémantique* la tâche de distinguer ces cas.

Ici, cependant, se place un phénomène proprement syntaxique, dont l'analyse linguistique doit rendre compte. C'est le phénomène suivant lequel une fonction complémentaire peut être *notée* comme telle, grâce à une fonction lexicale dénommée à cause de cela *fonction de notation* (cf. *supra*, 1.2.2.4). Ainsi, toute la différence (syntaxique) entre JE ME PROMÈNE L'ÉTÉ et JE ME PROMÈNE DURANT L'ÉTÉ réside dans l'apparition, au second exemple, de la fonction En DURANT, dont le rôle consiste à noter l'emploi en fonction complémentaire de la suite sonore L'ÉTÉ. Il en sera de même pour toute fonction complémentaire : ou elle sera notée, ou elle ne le sera pas. *Exemples :*

a. *Fonctions complémentaires non notées :*
PIERRE MANGE UNE POMME
PIERRE MANGE LE SOIR
IL PLEUT DES CLOUS
IL PLEUT CE SOIR

b. *Fonctions complémentaires notées :*
PIERRE MANGE AVEC APPÉTIT

PIERRE MANGE AU RESTAURANT
PIERRE MANGE APRÈS SES COURS
IL PLEUT SUR LA VILLE
IL PLEUT DANS LA MAISON
IL PLEUT DEPUIS TROIS JOURS.

De même que le nœud syntaxique n'est pas indispensable à la formation d'un énoncé (cf. précédemment, 3.2.1.2), toute fonction I n'est pas, non plus, nécessairement complétée. Comparez les énoncés suivants :

PIERRE MANGE
PIERRE MANGE UNE POMME
IL PLEUT
IL PLEUT SUR LA VILLE
PIERRE MANGE UNE POMME DANS LA CUISINE
IL PLEUT SUR LA VILLE DURANT L'ÉTÉ.

3.3 L'ordre des fonctions grammaticales dans le déroulement de l'énoncé

Ce qu'on peut dire en général, sur l'ordre des fonctions dans le discours français contemporain, c'est que la langue impose *un ordre normal et régulier*, qui ne pourra être troublé sans qu'apparaissent des phénomènes syntaxiques, sémantiques ou stylistiques particuliers. Dans les dix paragraphes qui suivent, nous étudierons, au point de vue de cet ordre normal et régulier, les diverses rencontres de fonctions constitutives du discours français.

3.3.1 LE DÉICTIQUE DE LA FONCTION I

Dans un énoncé affirmatif ordinaire, les morphèmes JE, TU, IL (ELLE), NOUS, VOUS, ILS (ELLES), identifiés en 3.1.1.2, *précèdent toujours* la fonction I à laquelle ils se rapportent. Et seules peuvent s'interposer entre une fonction I et son mor-

phème préfixé les formes de fonctions O personnelles suivantes :
ME, TE, SE, LE, LUI, NOUS, VOUS, LEUR, LA, Y, EN,
L', S'. (Si plusieurs fonctions O sont ainsi interposées, l'ordre
de leur apparition n'est pas libre. *Exemple :* JE TE LE DIS,
où TE précède nécessairement LE).

D'autre part, la *suffixation* de ces mêmes morphèmes pro-
duira un effet ou sémantique ou stylistique. *Exemples :*

a. énoncé affirmatif ordinaire : IL DORT – TU DORS ;

b. énoncé interrogatif : DORT-IL? – DORS-TU?

c. énoncé exclamatif : DORT-IL! – DORS-TU !

d. post-position du morphème due à la présence d'une fonction Ea :

AUSSI, DORT-IL TANT QU'IL PEUT ;

AUSSI, DORS-TU TANT QUE TU PEUX.

De plus, les déictiques NOUS et VOUS ne figurent jamais
seuls : ils déclarent diverses fonctions grammaticales de
concert avec un jeu de *suffixes* propres à chacun d'eux.
Exemples : le déictique NOUS ne va jamais sans le suffixe
-ONS (ou -IONS, ou -ERONS, etc.) ; le déictique VOUS,
jamais sans le suffixe -EZ (ou -IEZ, ou -EREZ, etc.).

3.3.2 LE DÉICTIQUE DE LA FONCTION O

Le déictique de la fonction O *précède* invariablement celle-ci,
quoique pas toujours immédiatement. On peut avoir, en
effet, LE CHEVAL, mais aussi bien LE GRAND CHEVAL,
LE BEAU GRAND CHEVAL, LE BEAU ET TROP FRIN-
GANT CHEVAL, etc.

A la différence du déictique de la fonction I, celui de la
fonction O *ne peut jamais être suffixé*. Par contre, il existe des
déictiques de fonction O qui sont des morphèmes discontinus
(c.-à-d. à la fois préfixés et suffixés). Exemples de ces derniers :
CE livre-CI – CETTE table-LÀ – CES enfants-CI.

3.3.3 LA SPÉCIFICATION DE LA FONCTION I

Quand une fonction A spécifie une fonction I, deux cas se présentent : ou la fonction A *est insérée* dans la fonction I, ou elle *suit* celle-ci. *Exemples :*

a. *Fonction A insérée dans la fonction I :*
ELLE A BIEN RÉUSSI – JE VOUS AI TOUT DE SUITE AVERTIS – NOUS AURONS BIENTÔT FINI ;

b. *Fonction A post-posée :*
ELLE RÉUSSIT BIEN – JE VOUS AVERTIS TOUT DE SUITE – NOUS FINIRONS BIENTÔT.

Il est à noter, cependant, que la fonction A ne peut *jamais* être insérée *immédiatement après le déictique*. D'autre part, il est possible de rencontrer une fonction A *précédant* la fonction I tout entière (*v.g.* : VITE, IL S'ENFUIT), mais ce cas relève d'un phénomène de stylistique dont il sera fait état au nº 3.3.10.

De plus, la fonction A qui sert à rendre le phénomène de la *négation* appelle quelques précisions.

La forme régulière de cette négation est un morphème discontinu : NE ... PAS (ou : NE ... GUÈRE, NE ... POINT, NE ... PLUS, etc.), embrassant la fonction I de diverses manières, comme suit :

a. Si la négation figure au complet, ses deux parties encadrent toujours *la fonction I proprement dite*. Ce qui a lieu en toute occurrence, c.-à-d., que la fonction I soit en fonction nodale ou non, et qu'elle comporte une fonction A ou non. Exemples des divers cas :

1 = en fonction nodale : MA SŒUR NE CHANTE PAS ;
TON PROCÉDÉ NE RÉUSSIT GUÈRE ;
2 = sans fonction nodale : NE DISCUTEZ POINT ;
NE PARLE PLUS ;
3 = avec fonction A : MA SŒUR N'A PAS CHANTÉ ;
JE N'AI POINT COMPRIS.

Ce fait n'empêche pas qu'une fonction O personnelle soit insérée entre la négation et la fonction I. *Exemples :* JE NE LE VOIS PAS – TU NE ME PARLAIS PAS.

b. Si la négation ne figure pas au complet, la partie conservée occupe toujours sa place respective (c.-à-d., NE précède, PAS suit la fonction I). *Exemples :* (de peur qu')IL NE VIENNE – CHANTE PAS (formule de la langue parlée familière).

3.3.4 LA SPÉCIFICATION DE LA FONCTION O

Une fonction A spécifiant une fonction O peut figurer ou avant, ou après celle-ci. En certains cas, la sémantique oblige à un ordre défini, comme dans : UN BRAVE HOMME, différent de UN HOMME BRAVE, UN GRAND HOMME, différent de UN HOMME GRAND, UN CERTAIN ÂGE, différent de UN ÂGE CERTAIN, etc. En d'autres cas, la position de la fonction A est plutôt libre, son déplacement ne comportant que des nuances mineures de signification. *Exemples :* UN CHARMANT ENFANT, UN ENFANT CHARMANT – UNE LONGUE ROBE, UNE ROBE LONGUE – UNE FROIDE RÉCEPTION, UNE RÉCEPTION FROIDE, etc. Enfin, d'autres cas encore sont régis par le seul usage. Ainsi, on peut dire : UNE TRÈS FROIDE RÉCEPTION, mais il faut dire : UNE RÉCEPTION PLUTÔT FROIDE ; on peut dire : UNE LONGUE ROBE, mais il faut dire : UNE ROBE NOIRE et UNE LONGUE ROBE NOIRE, etc.

La position de la fonction A spécifiant une fonction O est donc très variable. Seule demeure *interdite* la construction qui ferait placer la fonction A *avant le déictique* de la fonction O spécifiée.

3.3.5 LA SPÉCIFICATION DE LA FONCTION A

Ici encore, on rencontre régulièrement les deux positions : la fonction A spécifiant une autre fonction A peut ou précéder celle-ci ou la suivre. C'est plutôt la *nature* de la fonction spécifiante et l'*usage*, qui régissent ces positions. Il est très régulier et normal de dire : TRÈS JOLI – AFFREUSEMENT LAIDE – PAS TROP INTÉRESSANTE, mais il est régulier également de dire : PRONONCÉ FACILEMENT – ACHEVÉ DEPUIS PEU – ROMPU AVEC FACILITÉ.

Beaucoup de ces constructions, d'ailleurs, relèvent de la *sémantique* ou de la *stylistique*.

3.3.6 LES FONCTIONS E AUTRES QUE LE DÉICTIQUE

En règle générale, on trouve les fonctions Ea en tête d'un énoncé ou d'une partie d'énoncé : *OR, les professeurs...* – *PAR CONSÉQUENT, vous pourrez...* – *AINSI, cela me servira...*

Cependant, certaines constructions licites font figurer la fonction Ea ailleurs qu'en tête d'énoncé : *Vous pourrez DONC, en vertu de...* – *Je m'en irai, PAR CONSÉQUENT, dès que...* – *Il arriva, AINSI, que tout le monde fut pris de panique.*

Quant à la fonction En, elle trouve sa place normale immédiatement avant le déictique d'une fonction I ou d'une fonction O : *SUR la table* – *POUR qu'il vienne* – *DURANT la nuit* – *(je veux) QU'il vienne.*

Mais il faut savoir aussi qu'il existe un petit nombre d'expressions où la fonction En est post-posée à une fonction O : cf. *une heure DURANT.*

3.3.7 LE NŒUD SYNTAXIQUE

Le français contemporain ayant peu de moyens à sa disposition pour signaler la fonction nodale, il s'est trouvé que *l'ordre des fonctions lexicales* y remplirait ce rôle. Aussi, toute fonction O entrant en fonction nodale doit en principe *précéder*, dans la chaîne phonique ou graphique, la fonction I à laquelle elle se rapporte. Par conséquent, PIERRE TUE PAUL désigne nécessairement PIERRE comme l'assassin[1], et UNE PUCE ÉCRASE UN ÉLÉPHANT représente nécessairement un non-sens.

C'est là une des plus grandes servitudes de la langue française contemporaine. Et s'il est permis de déroger parfois à cette servitude, ce sera toujours dans les limites de certains procédés prévus soit pour l'interrogation ou l'exclamation, soit pour la mise en relief au sein du discours. Le cas de l'interrogation et de l'exclamation oblige à exprimer le déictique de la fonction I (qui ne le serait pas, autrement), et, de plus, à le placer *après* cette fonction I : LISE COURT : LISE COURT-ELLE? – PAPA VIENDRAIT : PAPA VIENDRAIT-IL? – SON JEU EST MÉDIOCRE : SON JEU EST-IL MÉDIOCRE! – JACQUES ROUGIT FACILEMENT : JACQUES ROUGIT-IL FACILEMENT!

(Nonobstant une tendance actuelle du français qui fait dire : LISE COURT? – PAPA VIENDRAIT? – VOUS PARTEZ QUAND?)

Quant au cas de la mise en relief, il en sera explicitement question plus loin, en 3.3.10.

3.3.8 LA COMPLÉMENTARITÉ SYNTAXIQUE

Au point de vue de l'ordre des fonctions, le complément syntaxique (noté ou non) jouit d'une certaine liberté : il peut figurer soit avant, soit après la fonction I qu'il complète. Exemples des rencontres possibles :

a. *Compléments non notés précédant la fonction I :*
L'ÉTÉ, JE ME PROMÈNE
CE SOIR, LA LUNE BRILLE
MATIN ET SOIR, C'EST LA MÊME CHANSON

---

1. Contrairement au latin, qui a la possibilité de dire PETRUM OCCIDIT PAULUS, pour désigner Paul comme l'assassin : cette langue, en effet, dispose d'un jeu de morphèmes rendant plus libre l'ordre des fonctions.

b. *Compléments non notés suivant la fonction I :*
JE ME PROMÈNE TOUT L'ÉTÉ
LA LUNE BRILLE, CE SOIR
C'EST LA MÊME CHANSON, MATIN ET SOIR

c. *Compléments notés précédant la fonction I :*
PENDANT L'HIVER JE TRAVAILLE MOINS
APRÈS DEUX HEURES ELLE S'ARRÊTA
AVEC PLAISIR JE VOUS REVERRAI

d. *Compléments notés suivant la fonction I :*
JE TRAVAILLE MOINS PENDANT L'HIVER
ELLE S'ARRÊTA APRÈS DEUX HEURES
JE VOUS REVERRAI AVEC PLAISIR.

3.3.9   LA FONCTION O PERSONNELLE

Rappelons ici une distinction extrêmement importante. Il ne faut pas confondre *fonctions O personnelles* et *déictiques de fonction I :* NOUS dans NOUS CHANTONS est différent de NOUS dans MAMAN NOUS APPELLE ; ELLE dans ELLE CHANTE est différent de ELLE dans VOILÀ POUR ELLE, au même titre que JE dans JE CHANTE est différent de MOI dans PARLE-MOI. L'emploi de mêmes phonèmes pour actualiser deux fonctions syntaxiques différentes ne doit pas nous changer le change.

3.3.10   LA MISE EN RELIEF DANS L'ÉNONCÉ

Les neuf paragraphes précédents nous ont fait voir l'ordre normal des fonctions, en français contemporain, dans un discours dépouillé de toute intention d'insistance ou d'effet stylistique particulier. Il arrive souvent, cependant, que l'on se trouve dans l'obligation de mettre en relief quelque(s) suite(s) sonore(s) du discours, pour fins sémantiques ou stylistiques. Dans ce cas, la langue française contemporaine permet certains déplacements de fonctions, mais elle exigera parfois, en retour, une forme de compensation pour l'ordre plus ou moins bouleversé.

En effet, le procédé le plus utilisé pour la mise en relief consistera à introduire dans l'énoncé la formule toute faite : *C'EST ... QUE*, morphème discontinu embrassant la suite sonore qu'on veut isoler. *Exemples :* C'EST PAUL QUE PIERRE TUE (pour rendre la mise en relief de PAUL, que le latin exprimerait sous la forme : PAULUM OCCIDIT PETRUS) – C'EST PIERRE QUI TUE PAUL (effet sémantique d'insistance sur la personne de l'assassin), etc.

Une autre manière de mettre en relief consiste à déplacer une suite sonore et à mettre une *fonction O personnelle* ou un *déictique de fonction I* à l'endroit que cette suite sonore occuperait normalement dans l'énoncé en question. *Exemples :* IL A ATTRAPÉ SON VOLEUR, LE GENDARME (LE GENDARME est mis en relief, et IL a pris sa place dans l'énoncé) – LE GENDARME L'A ATTRAPÉ, SON VOLEUR (SON VOLEUR est mis en relief, et L' a pris sa place, compte tenu que la fonction O personnelle L' précède toujours la fonction I, selon ce qui a été dit en 3.2.1.3) – JE LUI AI PARLÉ, À MON COUSIN – IL EST MIGNON, TON PETIT CHAT.

Ces procédés représentent de réelles servitudes, en français contemporain. On ne saurait dire dans l'ordre suivant : LE VOLEUR VA ATTRAPER LE GENDARME, pour faire entendre que le gendarme sera vainqueur. Mais on pourra fort bien varier l'expression (engendrant, bien entendu, divers niveaux de langage et produisant divers effets sémantiques et stylistiques) et dire, par exemple :

LE VOLEUR, LE GENDARME VA L'ATTRAPER – LE GENDARME, IL VA ATTRAPER LE VOLEUR – IL VA L'ATTRAPER, LE GENDARME, LE VOLEUR – LE GENDARME, IL VA L'ATTRAPER, LE VOLEUR (ces deux dernières constructions étant ambiguës, au point de vue sémantique).

Pourtant, il faut bien reconnaître que certains énoncés offrent un ordre de fonctions fort particulier. Faisant fi de toutes les règles établies, ces énoncés peuvent amener en fonction nodale une fonction I d'abord, puis, la fonction O correspondante : *Exemples :* VIENNE LE PRINTEMPS – S'EXPLIQUENT DE MÊME LES CAS CITÉS – S'ENCHAÎNE ENSUITE LA CONCLUSION.

Mais comme l'ordre des fonctions est bien souvent la seule manière de distinguer, à l'intérieur d'un énoncé, *fonction nodale* et *fonction complémentaire*, il en résultera que tout bouleversement de cet ordre pourra provoquer quelque ambiguïté, comme dans le cas de IL VA L'ATTRAPER, LE GENDARME, LE VOLEUR.

Enfin, il est possible également de déplacer même les fonctions I (avec compensation, tout de même) : QUE VOUS COMPRENIEZ CELA, J'EN SUIS FORT HEUREUX – COMBIEN CELA M'A COÛTÉ, VOUS LE SAUREZ PLUS TARD – QUI S'EN EST MÊLÉ, JE NE PUIS LE DIRE (noter EN et LE, qui compensent pour l'ordre bouleversé).

3.4 Étude des fonctions du français à l'intérieur du discours

3.4.1 PHÉNOMÈNES SYNTAXIQUES RELATIFS À LA FONCTION I

3.4.1.1 *La fonction I et la personne grammaticale*

La première déclaration qui s'offre à une suite sonore actualisée en fonction I, c'est celle d'une personne grammaticale. Aucune fonction I ne peut échapper à cette déclaration, qu'il y ait nœud syntaxique ou non.

En cas de nœud syntaxique, deux hypothèses se présentent : 1) le nœud ne comprend *aucune* fonction O personnelle, et alors la fonction I déclare automatiquement une troisième personne grammaticale : LE CHIEN ABOYAIT – NOS CHEVAUX HENNISSENT ; 2) le nœud syntaxique comprend *au moins une* fonction O personnelle, et alors la fonction I se comporte de manière à accorder priorité à la première personne grammaticale sur les deux autres, et à la deuxième sur la troisième – et déclare elle-même un *nombre pluriel:* MON PÈRE ET MOI CHANTONS – TOI ET MOI CHANTERONS – PIERRE ET TOI CHANTEREZ.

De ce qui précède on conclura que toute fonction I déclarant une première ou une deuxième personne grammaticale du *singulier* ne peut pas être en fonction nodale. Nous verrons plus loin comment analyser MOI, JE M'EN BALANCE – TOI, TU M'EMBÊTES – NOUS, NOUS RESTONS et autres constructions semblables.

Si l'énoncé ne comprend pas de nœud syntaxique, on a une utilisation *purement syntaxique* des diverses personnes grammaticales. La formule la plus courante consiste à se servir de la troisième (singulier ou pluriel) : L'HIVER, IL FAIT FROID AU CANADA – IL SEMBLE QUE CE SOIT VRAI – ILS PRÉDISENT DU BEAU TEMPS POUR DEMAIN.

La langue populaire exploite également des constructions à la deuxième personne grammaticale (singulier ou pluriel) : AVEC CES GENS-LÀ, OU TU PAIES ET ALORS TU EN-COURAGES LE VICE, OU TU NE PAIES PAS, ET ALORS ON T'ARRÊTE – QUAND VOUS ALLEZ À LA CHASSE POUR LA PREMIÈRE FOIS, VOUS MANQUEZ SOUVENT LE GIBIER.

3.4.1.2 *La fonction I et le nombre*

Directement rattachée à la déclaration de la personne grammaticale, vient ensuite la déclaration du nombre. Distinguons, comme au paragraphe précédent, le cas du nœud syntaxique et celui d'un énoncé sans nœud syntaxique.

En cas de nœud syntaxique, deux hypothèses se présentent : 1. une seule fonction O entre en fonction nodale, et alors, la fonction I déclare le même nombre que cette fonction O : MA MÈRE A FINI – NOS FRÈRES ONT FINI ; 2. plusieurs fonctions O entrent en fonction nodale, et alors la fonction I déclare automatiquement un nombre pluriel, quel que soit le nombre déclaré par chacune des fonctions O en question : MON PÈRE ET MA MÈRE SE PLAISENT À VOYAGER – LE BLÉ ET LES MAUVAISES HERBES CROISSENT ÉGALEMENT.

Si l'énoncé ne comprend pas de nœud syntaxique, la déclaration du nombre est régie par la sémantique : MANGEONS CETTE POMME – IL PLEUVAIT HIER – TU AS RAISON.

3.4.1.3 *Utilisation systématique des formes de voix passive*

Indépendamment des considérations de personne grammaticale et de nombre apportées aux paragraphes précédents, signalons un fait *purement syntaxique* du français contemporain : l'utilisation systématique des formes de voix passive, même en cas d'énoncés *à sens actif.* C'est ainsi qu'à côté du futur QUELQU'UN VIENDRA, construction de voix active, on a le passé QUELQU'UN EST VENU, où la voix passive est utilisée (cf. 3.1.1.1), sans répercussion sur le plan sémantique.

L'utilisation de la voix passive est passablement répandue, dans les cas où la fonction I n'entre pas en fonction nodale, ce qui a lieu spécialement dans l'expression des vérités générales, des faits connus ou de certaines considérations abstraites : IL EST DÉCIDÉ À L'UNANIMITÉ QUE ... – IL A ÉTÉ STIPULÉ QUE TOUS LES MEMBRES ... – IL SERA NOTÉ DANS MON CARNET QUE ...

3.4.1.4 *L'agent sémantique en fonction complémentaire*

Mais parler de voix passive, c'est soulever à nouveau la question de l'expression de l'*agent sémantique* dont on a traité au n° 3.2.7.

Il a été dit, à propos du *nœud syntaxique,* que le terme de

« sujet » convenait aux analyses effectuées par la *logique*, mais non pas à celles qu'effectue la *linguistique*. Et nous avons montré comment la notion de *fonction nodale* exprimait parfaitement le rapport syntaxique unissant ces deux éléments. Mais la notion logique de « sujet de verbe » ne correspond pas nécessairement à une fonction nodale (syntaxique). L'*agent sémantique* d'un procès peut très bien figurer syntaxiquement en fonction complémentaire. C'est ce qui a lieu dans les énoncés comme LA SOURIS EST DÉVORÉE PAR LE CHAT. L'analyse linguistique devra donc rendre compte de ce phénomène et identifier, parmi tous les compléments, celui qui dénote l'agent sémantique et qui, par conséquent, serait en fonction nodale, si la fonction I déclarait la voix active (on aurait, en effet, LE CHAT DÉVORE LA SOURIS).

Or, il faut savoir que l'agent sémantique exprimé en fonction complémentaire est toujours une fonction complémentaire *notée*, et la fonction En est le plus souvent PAR. Elle peut être aussi DE et même À (dans des locutions figées). *Exemples :* LA SOURIS EST DÉVORÉE PAR LE CHAT – CET HOMME EST CHÉRI DE SA FEMME – MON PROFESSEUR EST AIMÉ DE TOUT LE MONDE – UNE VESTE MANGÉE AUX MITES.

Notons, tout de même, que toute fonction O complémentaire accompagnée de PAR, DE ou À n'exprime pas nécessairement un agent sémantique : mais tout agent sémantique en fonction complémentaire est accompagné d'une de ces fonctions.

3.4.1.5 *La fonction I rattachée à une autre fonction I*

Chaque fois que, à l'intérieur d'un énoncé plus ou moins long, on rencontre plusieurs fonctions I dont l'une régit syntaxiquement les autres, nous appellerons celle-ci la *fonction maîtresse*, désirant résoudre par-là l'ambiguïté de l'épithète « principal » utilisée en ces cas par la grammaire traditionnelle. « Principal », en effet, se réfère aussi bien au plan sémantique, et en beaucoup de cas, la fonction I maîtresse (syntaxiquement) n'est pas du tout la fonction « principale » (sémantiquement) de l'énoncé. *Exemples :* ON RAPPORTE QUE LE ROI EST MORT – IL SEMBLE QUE TOUT SOIT DÉSESPÉRÉ. De toute manière, en ces cas de dépendance de fonctions I par rapport à une autre fonction I, on a toujours affaire, en réalité, soit à un *nœud syntaxique,* soit à une *complémentarité syntaxique.* Étudions chaque cas en particulier.

1. *Fonction I non maîtresse en fonction nodale*
Il s'agit d'une *véritable* fonction nodale, et il faut l'analyser comme telle. La seule particularité consiste en ce que, contrairement à la fonction nodale régulière, on ne trouve pas ici un nœud syntaxique formé par une fonction O et une fonction I, mais bien par deux fonctions I. *Exemples :*

QU'ILS SE RENDENT SANS CONDITION NOUS FACILITERA LES CHOSES ;
QU'ELLE ARRIVE PLUS TÔT M'AVANTAGERA BEAUCOUP.

La fonction I entrant en *fonction nodale* est toujours accompagnée de la fonction En QUE qui la *précède.*

2. *Fonction I non maîtresse en fonction complémentaire*
L'étude de cette fonction comprend *8 divisions* exigées par les nécessités du langage parlé. *Sémantiquement,* en effet, on peut vouloir ou compléter la signification d'une fonction de procès, ou exprimer l'une des sept circonstances suivantes : 1) la *finalité ;* 2) la *causalité ;* 3) la *condition ;* 4) la *conséquence ;* 5) la *concession ;* 6) la *restriction ;* 7) l'*époque* ou la *durée.* Syntaxiquement, lorsqu'on veut exprimer ces circonstances au moyen d'une fonction I rattachée à une autre fonction I (maîtresse), voici comment l'on procède.

1) *Complément sémantique d'une fonction I :* se réalise au moyen d'une fonction I au mode indicatif ou au mode subjonctif (selon la fonction maîtresse) accompagnée de la fonction

En QUE (laquelle précède toujours la fonction I et son déic-
tique) : JE VEUX QUE TU VIENNES – IL COMPRENDRA
QUE JE NE PUIS MIEUX FAIRE – IL PARAÎT QUE LA
SITUATION S'AMÉLIORE. Au lieu de la fonction En QUE,
on peut trouver également une fonction O ou une fonction A
de sens interrogatif ou exclamatif : JE SAIS LEQUEL DES
DEUX EST LE PLUS SUSPECT – NOUS CONNAÎTRONS
OÙ ILS SONT ALLÉS – J'AI APPRIS QUAND VOUS
ÉTIEZ PARTIS.

2) *Expression de la finalité :* se réalise au moyen d'une
fonction I au mode subjonctif, accompagnée d'une fonction
En appropriée : AFIN QUE, POUR QUE, etc. : JE TE DON-
NE CETTE INFORMATION, AFIN QUE TU ÉVITES
TOUTE ERREUR – TOUS OBSERVERONT LE SILENCE,
POUR QUE L'ŒUVRE SOIT MENÉE À BIEN.

3) *Expression de la causalité :* se réalise au moyen d'une
fonction I au mode indicatif, accompagnée d'une fonction En
appropriée : PARCE QUE, CAR, etc. : IL A RÉUSSI,
PARCE QU'IL A BIEN TRAVAILLÉ – PUISQUE LES
CHOSES EN SONT LÀ, JE ME RETIRE – JE M'ARRÊTE,
CAR IL SE FAIT TARD.

4) *Expression de la condition :* se réalise au moyen d'une
fonction I au mode indicatif, accompagnée de la fonction En
SI (S' devant IL) ou QUE (s'il y a plus d'une condition). Les
aspects divers que peut prendre l'expression de la condition
en français contemporain peuvent se classer comme suit :

a. *Expression d'une condition envisagée comme réelle ou
possible :*

– dans le présent : temps grammatical présent :
SI TU PENSES AINSI, TU FAIS ERREUR.
SI LES CHOSES EN SONT LÀ, JE M'EN VAIS.
SI C'EST LA VÉRITÉ ET QUE TU L'IGNORES, LE FAIT EST
REGRETTABLE.

– dans le passé : temps grammatical passé :

S'IL EN ÉTAIT AINSI, TU TE DEVAIS DE PARTIR.

SI SON FILM ÉTAIT À CE POINT MAUVAIS, IL FALLAIT LE PROSCRIRE.

– dans le futur : temps grammatical présent :

SI MA SŒUR ARRIVE DEMAIN, JE T'AVERTIRAI.

SI L'AVION DÉCOLLE, LE VOYAGE EST ASSURÉ.

b. *Expression d'une condition envisagée comme irréelle ou impossible :*

– dans le présent : temps grammatical passé :

SI TU T'EXPRIMAIS CLAIREMENT, ON TE COMPRENDRAIT.

SI LA TEMPÊTE N'ÉTAIT PAS SI VIOLENTE, JE PARTIRAIS.

– dans le passé : temps grammatical passé :

SI ON AVAIT ÉTÉ PLUS GENTIL À MON ENDROIT, JE N'EN SERAIS PAS LÀ AUJOURD'HUI.

SI LE PRÉSIDENT NOUS AVAIT AVERTIS, LE CHOC EÛT ÉTÉ MOINS VIOLENT.

5) *Expression de la conséquence :* se réalise au moyen d'une fonction I au mode indicatif ou subjonctif, accompagnée d'une fonction En appropriée : QUE, AU POINT QUE, etc. : IL A BU AU POINT QU'IL EN A PERDU LE SENS – IL NE FAUT PAS BOIRE AU POINT QU'ON PERDE LE SENS – LE PRÉSIDENT A AINSI PARLÉ QU'IL S'EST GAGNÉ LA FAVEUR GÉNÉRALE.

6) *Expression de la concession :* se réalise au moyen d'une fonction I au mode indicatif ou subjonctif, accompagnée d'une fonction En appropriée : BIEN QUE, QUOIQUE, ENCORE QUE, etc. : BIEN QU'IL SOIT VENU, JE NE L'AI PAS RENCONTRÉ – QUOIQU'IL LUI FAUDRA BIEN SE SOUMETTRE, ON PEUT ENTENDRE SA CAUSE À NOUVEAU.

7) *Expression de la restriction :* se réalise au moyen d'une fonction I au mode subjonctif, accompagnée d'une fonction En

appropriée : POURVU QUE, À LA CONDITION QUE, etc. : POURVU QU'IL DEMEURE À SON RANG, JE NE FERAI AUCUNE OPPOSITION – TU RÉUSSIRAS À LA CONDITION QUE TU Y METTES BEAUCOUP DE PEINE.

8) *Expression de l'époque ou de la durée :* se réalise au moyen d'une fonction I au mode indicatif ou subjonctif, accompagnée d'une fonction En appropriée : QUAND, LORSQUE, APRÈS QUE, TANDIS QUE, etc. : LORSQU'IL EUT QUITTÉ, TOUT RENTRA DANS L'ORDRE – JE DOIS FINIR AVANT QUE TU PARTES – QUAND J'AURAI FINI, JE T'AVERTIRAI – QUAND ON ÉLISAIT SOI-MÊME SES REPRÉSENTANTS, ON ÉTAIT PLUS HEU-REUX.

3.4.1.6 La fonction I rattachée à une fonction O

Au paragraphe précédent, nous avons vu qu'une fonction I rattachée à une autre fonction I se trouvait nécessairement ou en fonction nodale ou en complémentarité. Lorsque, par contre, une fonction I est rattachée à une fonction O, elle se trouve à remplir, par rapport à celle-ci, un rôle de *spécification* pure et simple, à la manière d'une fonction lexicale de spéci-fication proprement dite. De sorte que, pour l'analyse linguis-tique, il n'y a aucune différence entre le rapport syntaxique qui unit LE LIVRE et ROUGE, d'une part, LE LIVRE et QUE TU LIS, d'autre part. Comparez de même : *L'homme REMARQUABLE* et *L'homme QUI S'EN VIENT – Ma fille DÉCÉDÉE* et *Ma fille QUE JE REGRETTE – Le livre BLEU* et *Le livre DONT VOUS PARLEZ*, etc.

Cet emploi de la fonction I en fonction de spécification se réalise au moyen d'une forme d'actualisation au mode indi-catif, subjonctif ou potentiel, accompagnée d'une fonction En appropriée : QUI, QUE, DONT, À QUI, AUQUEL, etc. – *Exemples :* LE LIVRE QUE TU AS LU – UN HOMME QUE JE CONNAÎTRAIS – UN OUVRAGE QUI PUISSE LUI PLAIRE.

Pour rendre compte de ce phénomène, l'analyse linguistique
devra donc souligner le fait que l'on a ici un rôle de spécification rempli non par une simple fonction lexicale A, mais bien
par une fonction lexicale de procès. D'où, on l'a vu en 0.2.3,
l'importance de savoir si l'opération d'analyse que l'on effectue
fait violence à la réalité linguistique. En-deçà de la frontière,
en effet, QUI S'EN VIENT s'analyse comme une fonction A
(spécifiant quelque fonction O), mais au-delà de la même
frontière, on constate que QUI S'EN VIENT est bel et bien
à base de fonction I.

3.4.1.7 *La notion de procès actualisée en fonction O*

Lorsqu'on observe simplement les faits tels qu'ils se présentent au sein du français contemporain, on se rend compte très
vite et très facilement que si les *notions de procès* à exprimer
par la langue sont régulièrement actualisées en *fonctions de
procès*, il est également régulier d'actualiser ces *notions* en
fonctions syntaxiques de dénomination, comme CHANTER,
DORMIR, RECEVOIR. Ces fonctions O ne diffèrent en rien
de toute autre fonction O, sur le plan syntaxique : aussi, partout où la fonction O peut figurer, peut figurer également une
notion de procès actualisée en fonction O. On peut donc dire
de la même manière : JE DÉSIRE UNE POMME et JE
DÉSIRE DORMIR – LA CAUSE DU DÉSASTRE et LA
CAUSE DU DEVENIR – ON MANGE POUR LE PLAISIR
et ON MANGE POUR VIVRE – LA FOURCHETTE ET LE
COUTEAU ONT TUÉ PLUS D'UN HOMME et LE BOIRE
ET LE MANGER ONT TUÉ PLUS D'UN HOMME.
De plus, on voit bien que les formes CHANTER, DORMIR,
RECEVOIR, etc., ne déclarent aucune personne grammaticale, aucun mode, aucun temps grammatical, ni aucune des
catégories déclarées par la fonction I. Seule demeure, au
cœur de cette fonction lexicale O, l'indication d'une NOTION
de procès. Mais souvenons-nous que la *notion* n'appartient pas
à la syntaxe : elle est un élément *logique* (ou *sémantique*, sui-

vant le point de vue). En ce qui concerne la *syntaxe*, DORMIR et MAISON logent à la même enseigne (fonctions O).

Par conséquent, la notion de procès actualisée en fonction O doit déclarer, comme toute fonction O, un genre grammatical et un nombre : en fait, elle déclare obligatoirement le genre *masculin*, mais elle peut déclarer aussi bien un nombre pluriel qu'un nombre singulier. *Exemples :* LE MANGER ET LE BOIRE SONT NATURELS – DORMIR EST BIENFAISANT – JOUER PARAÎT SAIN – DES RIRES ENFANTINS – LES DIRES DE NOS AÏEUX – LES SAVOIRS ÉVOLUENT RAPIDEMENT.

De plus, la notion de procès actualisée en fonction O pourra entrer en fonction nodale avec une fonction I et en fonction complémentaire, de la même manière que toute autre fonction O. *Exemples en fonction nodale :* DORMIR DEMEURE ENCORE LA MEILLEURE CURE – EN CE CAS, MANGER ÉQUIVAUDRAIT À UN SUICIDE – TROP PARLER NUIT. *Exemples en fonction complémentaire :* IL FAUT MANGER – NOUS DÉSIRONS PARTIR – ON DEVRAIT S'ARRÊTER.

On aura remarqué, d'après les exemples précédents, que la fonction de procès actualisée en fonction O se passe volontiers de déictique. En réalité, il est plus exact de parler d'un déictique zéro, c.-à-d. de *l'absence* de fonction Ei, absence qui a une valeur déictique. Il ne faut pas s'en étonner : L'HEURE DE CHANTER n'est pas plus remarquable que UN TOIT DE MAISON, et NOUS DÉSIRONS MANGER ET BOIRE n'est pas construit autrement que NOUS DÉSIRONS PAPIER ET ENCRE.

Remarque importante : la notion de procès actualisée en fonction O peut entrer en fonction nodale *avec une autre fonction O*, tout comme si elle était elle-même actualisée en fonction I. A côté de JE VOIS QUE MON FRÈRE PART, on peut donc avoir : JE VOIS MON FRÈRE PARTIR ou JE VOIS PARTIR MON FRÈRE (avec nuance sémantique, bien entendu, d'une expression à l'autre). Cette liberté, tout de même, ne s'étend pas à toute construction : on ne saurait dire autrement l'énoncé JE SAIS QUE MON FRÈRE PART.

Cette particularité tient à *la nature de la fonction I maîtresse* utilisée.

De même, la notion de procès actualisée en fonction O peut recevoir des compléments syntaxiques, notés ou non, comme si elle était actualisée en fonction I. *Exemples :* RENCONTRER MON FRÈRE ME RÉJOUIT TOUJOURS – JE VEUX PARLER À TON AMI – MANGER POUR LE PLAISIR N'EST GUÈRE RECOMMANDABLE – ON A L'INTEN-TION DE REJETER TOUTE LA FAUTE SUR VOUS.

3.4.1.8 *La notion de procès actualisée en fonction A*

Si l'on a accepté, au paragraphe précédent, que DORMIR et RECEVOIR étaient des notions de procès actualisées en fonctions syntaxiques de *dénomination*, on n'éprouvera aucune difficulté à accepter ici que DORMANT et DORMI, RECE-VANT et REÇU soient des notions de procès actualisées en fonctions syntaxiques de *spécification*.

A la vérité, l'écart *sémantique* est considérable entre DOR-MANT et DORMI, mais la *syntaxe* n'en a cure : elle n'y voit que des fonctions A comme toutes les autres, à traiter comme toutes les autres. En conséquence, il y aura déclaration de *genre* et de *nombre*, suivant les cas prévus pour les fonctions de cette nature. *Exemples : Une basse CHANTANTE – Une opération RÉUSSIE – Des oignons FRITS – Une attitude AHURISSANTE.*

En vertu de sa nature même, la notion de procès actualisée en fonction A ne peut entrer en fonction nodale (ce qui est réservé à la fonction O et à la fonction I). En revanche, elle peut fort bien (comme la notion de procès actualisée en fonc-tion O) accepter un ou plusieurs compléments, notés ou non. *Exemples :*

– avec compléments non notés :
AYANT LA FIÈVRE, IL N'A PU SE PRÉSENTER
VISANT LE NOIR, JE TUAI LE BLANC

AYANT CHANTÉ TOUT L'ÉTÉ, LA CIGALE SE TROUVA DÉPOUR-
VUE ;

– avec compléments notés :
COMPRIS SUR LE TARD, LE COMMANDEMENT FUT QUAND
MÊME EXÉCUTÉ
ON LE TROUVA MORDANT AVEC APPÉTIT DANS LE FRUIT
DÉFENDU
AYANT CHANTÉ DURANT TOUT L'ÉTÉ, LA CIGALE SE TROUVA
DÉPOURVUE.

Une particularité de cette notion de procès actualisée en
fonction A consiste en ce que non seulement elle peut recevoir
des compléments syntaxiques, mais elle peut elle-même se
trouver en fonction complémentaire (toujours notée), qu'elle
soit seule ou accompagnée de ses propres compléments syntaxiques. *Exemples :*

– en fonction complémentaire, seule :
IL ENTRA EN CHANTANT
EN FORGEANT ON DEVIENT FORGERON
ON MANGEAIT TOUT EN MARCHANT ;

– en fonction complémentaire, avec compléments :
IL ENTRA EN CHANTANT UN AIR
EN FAISANT DE GRANDS EFFORTS, IL SE TAILLERA UNE
CARRIÈRE CONVENABLE
TOUT EN DÉAMBULANT DANS LES CHAMPS, ON PEUT ÉTU-
DIER SÉRIEUSEMENT.

3.4.1.9   *La fonction I et le temps grammatical*

Au chapitre des phénomènes syntagmatiques (3.1.1), nous
avons défini la notion de *temps grammatical* déclaré par toute
suite sonore actualisée en fonction de procès. Le moment est
venu de nous demander si, dans les cas de fonctions I rattachées à d'autres fonctions I (maîtresses), quelque système régit

la déclaration du temps grammatical, dans les fonctions dépendantes.

Il existe un tel système, oui, mais il n'a rien de syntaxique : c'est en grande part la *sémantique* qui règle l'emploi de tel ou tel temps grammatical. De sorte que, en considérant le temps grammatical déclaré par une fonction I maîtresse donnée, on ne peut nullement augurer, en partant de critères syntaxiques, du temps grammatical qui sera déclaré par une fonction I rattachée à celle-là. Voyez plutôt la variété des emplois :

J'AFFIRME QU'IL TRAVAILLE

J'AFFIRME QU'IL TRAVAILLAIT, QU'IL A TRAVAILLÉ

J'AFFIRME QU'IL TRAVAILLERA

J'AI AFFIRMÉ QU'IL TRAVAILLE

J'AI AFFIRMÉ QU'IL TRAVAILLAIT, QU'IL A TRAVAILLÉ

J'AI AFFIRMÉ QU'IL TRAVAILLERA, QU'IL TRAVAILLERAIT

J'AFFIRMERAI QU'IL TRAVAILLE

J'AFFIRMERAI QU'IL TRAVAILLAIT, QU'IL A TRAVAILLÉ

J'AFFIRMERAI QU'IL TRAVAILLERA, QU'IL AURA TRAVAILLÉ

ETC.

Le rôle de la *sémantique* est donc souverain en ce domaine, et il est vain de vouloir trouver un *système syntaxique* où la structure de la langue n'en offre aucune trace.

3.4.1.10 *La fonction I insérée*

Avant de terminer le présent chapitre, il nous reste à donner un important détail de structure relatif à l'emploi des fonctions de procès. Il s'agit d'une fonction I que nous appellerons *insérée*, parce que, en réalité, elle est totalement étrangère à la structure de l'énoncé où elle figure, et à ce titre entièrement indépendante dans son actualisation.

Cette fonction I insérée peut revêtir deux aspects différents : elle peut être constituée d'une simple fonction I, comme dans : *Je viendrai, AJOUTA-T-IL, dès que l'affaire sera mise en marche – Cette année, RÉPÈTE-T-ON, les récoltes se feront abondantes – Pour moi, DIS-JE, tout est bon.* Elle peut aussi s'accompagner d'une ou de plusieurs autres fonctions lexicales : *Pour moi, FIT-IL EN RIANT, tout est bon – Mon garçon, AIMAIT À RÉPÉTER MON PÈRE, ta vie sera ce que tu la feras – La femme, ON IGNORAIT SON NOM, sortait d'un quartier pauvre de la ville.*

3.4.1.11 *Les fonctions I juxtaposées*

Une dernière utilisation syntaxique à mentionner en ce chapitre consiste dans la *juxtaposition* des fonctions I. Il s'agit de la présence simultanée, à l'intérieur d'un même énoncé, de deux ou plusieurs fonctions I dont aucune n'est fonction maîtresse : toutes sont indépendantes les unes des autres (ou l'une de l'autre, s'il n'y en a que deux). Dans ce cas, on parlera de *fonctions I juxtaposées*, et l'exemple classique en sera le vers cornélien : « *Je vois, je sais, je crois, je suis désabusée.* »

Chacune des fonctions I juxtaposées peut constituer un énoncé entier avec fonctions O et fonctions A y rattachées, comme dans les exemples suivants : IL A FLAIRÉ LE PIÈGE, EN A FAIT LE TOUR, S'EN EST RETOURNÉ DANS LES BOIS – NOUS ESPÉRERONS CONTRE TOUTE ESPÉ-RANCE, NOUS REMPORTERONS LA VICTOIRE FINALE.

3.4.2 PHÉNOMÈNES SYNTAXIQUES RELATIFS À LA FONCTION O

3.4.2.1 *Autonomie de la fonction O*

Rappelons, en premier lieu, que la fonction O, dans un énoncé français, n'est pas nécessairement dépendante d'une autre fonction (qui serait, alors, de procès) : elle peut, aussi facilement que la fonction I, figurer seule dans un énoncé. La langue française contemporaine manifeste même un certain penchant à favoriser les formes d'énoncés à base de fonction O. Depuis La Fontaine, on ne s'étonne guère d'entendre : « Pas un seul petit morceau de mouche ou de vermisseau ». Ce qui est étonnant, pourtant, c'est qu'on s'évertue à « sous-entendre » quelque fonction I, pour arriver à analyser un tel énoncé. Pourquoi ne pas accepter simplement l'analyse *syntaxique* qui reconnaît ici un énoncé à base de fonction O, constituant un tout autonome (et, d'ailleurs, totalement satisfaisant pour la sémantique)? De même s'analyseraient les énoncés suivants, tous bâtis sur le même modèle : LA GUERRE, PUIS, LES RAVAGES DE LA PESTE – SA CHAMBRE? UNE PIÈCE EN DÉSORDRE, UN MUSÉE DE VIEILLES CHOSES! – UN PETIT VILLAGE ACCROCHÉ À LA MONTAGNE, UN MINCE FILET DE FUMÉE ET LA LUNE VOILÉE PAR UNE LONGUE DRAPERIE NOIRE.

3.4.2.2 *Les rôles syntaxiques spécifiques de la fonction O*

Nonobstant les considérations du paragraphe précédent, il demeure que la langue française normale et régulière ne construit pas le plus souvent ses énoncés à l'aide de fonctions O seules (ou seulement accompagnées de fonction(s) A). Les rôles syntaxiques qui reviennent de droit, pour ainsi parler, à la fonction O, sont au nombre de deux, à savoir : la *fonction nodale* et la *complémentarité syntaxique*.

L'essentiel de la doctrine relative à ces deux rôles syntaxiques a déjà été exposé plus haut (cf. 3.2 *in extenso*, puis 3.3.7 et 3.3.8) : nous n'y reviendrons pas.

Ajoutons toutefois un détail de structure très important pour l'analyse.

Aux regards de la *sémantique* et de la *logique*, il y a une énorme différence entre PIERRE MANGE UNE POMME et PIERRE EST UN GARÇON. Dans le premier cas, on parle d'un « objet » et dans le second, d'un « attribut ». Pour la *syntaxe*, par contre, cette distinction ne saurait tenir. MANGE et EST sont toutes deux des fonctions I ; UNE POMME et

UN GARÇON sont toutes deux des fonctions O en *complémentarité syntaxique* par rapport à leur fonction I respective. UN GARÇON, *pour la syntaxe*, est donc *complément syntaxique* de EST, au même titre que UNE POMME est complément syntaxique de MANGE.

Cela découle de la théorie énoncée précédemment, en 3.2.2.

3.4.2.3 *Le complément syntaxique inséré*

Nous venons de voir que la *complémentarité syntaxique* est un des deux rôles spécifiques de la fonction O. Il se présente, à ce sujet, une particularité dont il faut ici faire état.

Parfois, une fonction O s'adjoint une *notion de procès* actualisée en fonction A, pour constituer, à l'intérieur même d'un énoncé, une pièce autonome du discours, véritable énoncé parasite, indépendant de l'énoncé dans lequel il figure. Nous appellerons ce phénomène : *complément syntaxique inséré*. Celui-ci peut être très simple, comme dans : *L'ÉTÉ VENU, ils sont partis pour la campagne – LE PRINTEMPS RÉAPPARAISSANT, nous eûmes une lueur d'espoir – CETTE SOMME DÉPASSÉE, le client n'aura plus droit à aucun crédit.* Ce complément peut aussi se présenter sous une forme beaucoup plus complexe (puisqu'il est un énoncé complet dans un énoncé) : *L'ÉTÉ VENU POUR DE BON EN NOTRE RÉGION, ils sont partis pour la campagne – LA SOMME QUE NOUS VENONS DE MENTIONNER AYANT ÉTÉ DE BEAUCOUP DÉPASSÉE À CAUSE DE DÉPENSES NON JUSTIFIÉES À NOS YEUX, le client n'aura plus droit à aucun crédit.*

3.4.2.4 *La fonction O insérée*

Mais il y a aussi des fonctions O qui sont insérées, sans se trouver en complémentarité syntaxique. Totalement indépendantes, au point de vue syntaxique, de l'énoncé dans lequel elles figurent, ces fonctions seront appelées simplement *fonctions O insérées*.

Elles peuvent se présenter sous une forme très simple, comme dans : *Je suis, MONSIEUR, votre humble serviteur – MADAME, le dîner est servi*. – Mais elles peuvent aussi s'adjoindre une ou plusieurs fonctions A : *CHER AMI, le plaisir de votre visite a été tout entier pour moi – Votre vie, INSENSÉ QUE VOUS ÊTES, sera gâchée par votre faute – PROPHÈTE DE MALHEUR, vous m'avez attiré une malédiction !*

3.4.2.5 *La fonction O juxtaposée*

Comme on a eu, au chapitre précédent, une fonction I juxtaposée, on a également ici une *fonction O juxtaposée*. C'est un emploi syntaxique qu'on rencontre plus spécialement en *langage parlé*, mais l'analyse linguistique doit rendre compte de ce phénomène. Deux cas sont possibles : 1) une fonction O voisine une ou plusieurs autres fonctions O, sans aucun lien syntaxique avec celle(s)-ci. *Exemples :* MON PATRIMOINE : DES COMPTES, DES DETTES, DES FACTURES – UNE DE PERDUE, DEUX DE TROUVÉES – LA MORT, LA PESTE, LA FAMINE, LA GUERRE.
2) une fonction O voisine une fonction I, sans être rattachée à celle-ci par aucun lien de fonction nodale ni de fonction complémentaire. *Exemples : DU CHEVREUIL, J'AIME bien cela – LA PRUDENCE, ÇA N'A PAS L'AIR D'ÊTRE sa qualité maîtresse – L'ARGENT, ON EN MANQUE toujours.*

On peut rencontrer plusieurs juxtapositions à l'intérieur d'un même énoncé. A titre d'exemple, citons la construction suivante, entendue de nos oreilles, qui contient deux fonctions O juxtaposées à une fonction I : LA PLUPART DES CHASSEURS, LE PREMIER CHEVREUIL, ILS LE MANQUENT.

Et les gens du peuple ne se gênent pas, parfois, pour offrir à l'analyse du linguiste des énoncés aussi curieux que celui-ci, où l'on retrouve trois fonctions O juxtaposées à une fonction I :

LE VOLEUR, MON BEAU-FRÈRE, SON COUSIN, IL L'A ATTRAPÉ ! (Pauvre *sémantique*, qui aura à débrouiller les attributions et à trouver qui a attrapé qui !)

3.4.2.6   *La fonction O personnelle en fonction nodale double*

Un dernier phénomène syntaxique relatif à la fonction de dénomination doit être ici consigné : c'est celui de la fonction O personnelle en fonction nodale double.

En fait, il s'agit des fonctions O personnelles QUICONQUE et QUI, utilisées de manière à constituer simultanément deux nœuds syntaxiques, à l'intérieur d'un même énoncé. *Exemple :* *QUICONQUE S'ABSTIENDRA SERA PUNI.* Dans cet énoncé, la fonction O personnelle QUICONQUE constitue un nœud syntaxique avec S'ABSTIENDRA et un autre nœud syntaxique avec SERA PUNI. Il y a donc, par rapport à la fonction O, un cumul de deux fonctions nodales.

Le même phénomène se reproduit, quoique de façon un peu moins visible, dans certaines constructions avec la fonction O personnelle QUI (à distinguer de la fonction En QUI). *Exemples :*

QUI VEUT PEUT
QUI S'ABSTIENDRA SERA PUNI
QUI JOUE AVEC LE FEU SE BRÛLERA.

3.4.3   PHÉNOMÈNES SYNTAXIQUES RELATIFS À LA FONCTION A

3.4.3.1   *Autonomie relative de la fonction A*

Le rôle syntaxique défini précédemment, en 1.2.2.3, que nous avons appelé *fonction de spécification*, représente une fonction qui est, par sa nature même, destinée à ne pas figurer de façon autonome dans un énoncé. En effet, cette fonction se raccroche toujours syntaxiquement à quelque autre fonction constitutive d'énoncé.

On ne peut toutefois ignorer que le système du français contemporain permet des énoncés construits de telle manière, qu'ils soient à base de fonction(s) A seule(s) ou elle(s)-même(s) spécifiée(s), mais en tout cas, ne spécifiant aucune autre fonction. *Exemples:* DÉTESTABLE – OUVERT JOUR ET NUIT – SUSPENDU POUR RAISON MAJEURE – AIMABLEMENT QUOIQUE FROIDEMENT – VITE ET BIEN.

3.4.3.2 *Les rôles syntaxiques spécifiques de la fonction A*

Mais ces emplois, bien que parfaitement réguliers, ne représentent pas les constructions les plus courantes du discours français contemporain. Habituellement, la fonction A est directement rattachée ou à une fonction I, ou à une fonction O, ou encore à une autre fonction A.

Or, lorsqu'une fonction A spécifie ou une fonction I ou une autre fonction A, elle ne déclare jamais ni genre grammatical, ni nombre, selon ce qui a été dit déjà en 3.1.3.1 et 3.1.3.3. *Exemples: Je cours VITE, nous courions VITE, qu'ils courent VITE – PLUS beau, PLUS belle, PLUS beaux.*

Par contre, lorsqu'une fonction A spécifie une fonction O, il se produit un phénomène auquel il convient de consacrer un paragraphe spécial.

3.4.3.3 *Le pléonasme grammatical obligatoire et la fonction A*

La déclaration, en effet, d'un genre grammatical et d'un nombre par une fonction A spécifiant une ou plusieurs fonctions O se fait selon des normes que nous grouperons sous l'appellation de *pléonasme grammatical obligatoire.*

Il s'agit bien d'un *pléonasme,* car nous voyons une fonction A répéter des déclarations déjà effectuées par une fonction O. Dans UN RENSEIGNEMENT PRÉCIS, UNE INFORMATION PRÉCISE, les fonctions O UN RENSEIGNEMENT et UNE INFORMATION suffisent à indiquer genre grammatical et nombre (cf. le *déictique*): la fonction A, pourtant, déclare à son tour un même genre grammatical et un même nombre.

Il s'agit, aussi, d'un phénomène purement *grammatical,* à preuve les nombreux cas où les indications de genre grammatical et de nombre (dans la langue parlée, au moins) sont impossibles : MON ÉLÈVE MODÈLE, DEUX ÉLÈVES MODÈLES, MES AMI(E)S FIDÈLES, ETC.

Enfin, il s'agit d'un phénomène *obligatoire:* dans les limites où la morphologie le permet (cf. l'impossibilité dont nous venons juste de parler), toute fonction A spécifiant une ou plusieurs fonctions O doit nécessairement répéter le genre grammatical et le nombre déclarés par la ou les fonctions O qu'elle spécifie. Et cela, de manière différente selon les cas.

Premier cas : une fonction A spécifie une seule fonction O. Alors, la fonction A déclare le même genre grammatical et le même nombre que la fonction O en question. *Exemples : Une robe LONGUE – Des habits BLANCS – Ce candidat ENTREPRENANT.*

Deuxième cas : une fonction A spécifie plusieurs fonctions O juxtaposées ou jointes par une fonction Ea. Alors, la fonction A déclare automatiquement un nombre *pluriel,* avec un genre grammatical masculin si toutes les fonctions O en question sont au masculin ou si, du moins, l'une d'elles est de ce genre grammatical ; avec un genre grammatical féminin, par contre, si toutes ces mêmes fonctions O sont de ce genre grammatical. *Exemples : Un veston et un pantalon NEUFS – Une robe et un habit NEUFS – Ma chemise et mes chaussettes BLANCHES.*

Que si plusieurs fonctions A spécifient la même ou les mêmes fonctions O, toutes ces fonctions A sont soumises en même temps aux mêmes normes : *Ma LONGUE robe NEUVE – Les tribus et états BELLIGÉRANTS ou RÉCALCITRANTS.*

3.4.3.4 *Le pléonasme en porte-à-faux et la fonction A*

Il existe, cependant, un cas particulier où une fonction A doit obligatoirement déclarer un genre grammatical défini, sans que la fonction O spécifiée par cette fonction A ne déclare elle-même aucun genre grammatical. Concrètement, il s'agit de la formule : *HEUREUSES de vos succès, vos élèves vous souhaitent...*, prononcée par des étudiantes, et de la formule : *HEUREUX de vos succès, vos élèves vous souhaitent...*, prononcée par des étudiants. Y -a-t-il pléonasme, en ces énoncés? Oui, il y a bel et bien pléonasme. Pour la déclaration du nombre pluriel, la chose va de soi (cf. précédemment, 3.4.3.3, *premier cas*). Mais pourquoi, dans le premier énoncé, HEUREUSES déclare-t-elle un féminin, tandis que HEUREUX, dans le second, déclare un masculin? C'est parce que chacune de ces fonctions A *répète* un genre grammatical différent déclaré respectivement par ÉLÈVES du premier énoncé et par ÉLÈVES du second. Seulement, comme cette *première déclaration* du genre grammatical est PUREMENT SÉMANTIQUE, nous dirons que la seconde déclaration (syntaxique, et faite par la fonction A) constitue un *pléonasme en porte-à-faux*, la première déclaration n'ayant rien de syntaxique.

Le phénomène est encore plus évident, quand il n'y a même pas de fonction O spécifiée. Qu'est-ce, en effet, qui fait dire à une dame : JE ME SENS HEUREUSE et à un homme : JE ME SENS HEUREUX, sinon cette déclaration obligatoire d'un genre grammatical *déclaré d'abord non syntaxiquement, mais sémantiquement* par le déictique JE de chacun des énoncés? Mais comme la « première » déclaration du genre grammatical n'est pas syntaxique, la « seconde » (celle de la fonction A) est donc en porte-à-faux.

3.4.3.5 *La fonction A dans les formes d'actualisation de la fonction I*

Au paragraphe 3.1.1.2, dans les tableaux montrant le mécanisme des déclarations de la fonction I, nous avons observé que certaines formes d'actualisation (tant à la voix active qu'à la voix passive) étaient essentiellement constituées de séries comme J'AI, TU AS, IL A - JE SUIS, TU ES, IL EST, etc., auxquelles était adjointe une fonction A. Cette dernière représente *une notion de procès actualisée en fonction A* (phénomène étudié précédemment en 3.4.1.8), et il nous faut maintenant préciser la manière dont se comporte cette fonction A dans les différentes constructions où on la trouve.

La question est un peu complexe. Afin de procéder avec ordre et clarté, nous distinguerons trois hypothèses d'emploi des formes en question : 1) emploi *en fonction nodale ;* 2) emploi *en fonction de spécification ;* 3) autres emplois.

REMARQUES PRÉLIMINAIRES

Il sera question, dans les lignes qui vont suivre, des déclarations d'un genre grammatical et d'un nombre. Qu'il soit entendu, une fois pour toutes, que ces déclarations (selon ce qui a été exposé aux paragraphes classés sous 3.1.3) s'effectuent de manière différente, selon qu'on se place au plan de la langue parlée ou au plan de la langue écrite. A ce moment-ci, nous n'avons pas besoin de répéter qu'une suite sonore comme VUES, par exemple, déclare un féminin pluriel au plan de la langue écrite, mais non pas au plan de la langue parlée, pour laquelle VU et VUES ne diffèrent en rien. Nous considérerons toujours cette distinction comme une chose entendue.

De plus, on se souvient que les formes de fonction I constituées d'une des séries J'AI, J'AVAIS, J'AI EU, etc., plus une fonction A, sont propres à la *voix active*, tandis que les formes constituées d'une des séries JE SUIS, J'ÉTAIS, J'AI ÉTÉ, etc., sont propres à la *voix passive*. Nous emploierons donc ces dénominations « formes de voix active » et « formes de voix passive », pour désigner respectivement ces deux espèces de formes d'actualisation. Par exemple, J'AI MANGÉ, NOUS AURONS VOYAGÉ, QUE J'AIE BU sont des formes de voix active ; TU ES VENU, VOUS ÊTES BATTUS, NOUS SERIONS MENACÉS sont des formes de voix passive. (Rappelons également le caractère *purement morphologiqne* – pas nécessairement sémantique – de ces formes : cf. 3.1.1.1.)

PREMIER CAS : *emploi en fonction nodale d'une forme de fonction I contenant une fonction A.* Alors, toutes les *formes de voix active* déclarent invariablement un genre grammatical *masculin* et un nombre *singulier,* que l'énoncé total amène un complément syntaxique ou non : *Mon petit frère a CHANTÉ (une romance) – Le fleuve a GELÉ (de décembre à mars) – Nos oiseaux ont FUI (de leurs cages).* Quant aux *formes de voix passive,* elles sont soumises au pléonasme grammatical obligatoire dont nous avons parlé en 3.4.3.3. Aussi, aurons-nous : *Mon père est VENU (hier), Ma mère est VENUE (hier) – Le sujet serait COMPRIS (par tous), La matière serait COMPRISE (par tous) – Son pays aura été DÉCOUVERT (sur le tard), Sa patrie aura été DÉCOUVERTE (sur le tard).*

DEUXIÈME CAS : *emploi en fonction de spécification d'une forme de fonction I contenant une fonction A.* Il y a lieu de distinguer deux hypothèses : 1) La fonction En accompagnant la fonction I est *l'équivalent sémantique* d'une fonction O en fonction nodale : alors, formes de voix active et formes de voix passive se comportent respectivement comme au cas précédent : *L'homme qui a VU, La femme qui a VU – L'homme qui est VENU, La femme qui est VENUE.* 2) La fonction En accompagnant la fonction I est *l'équivalent sémantique* d'une fonction O en complémentarité syntaxique : alors, les formes de voix active *sont entièrement régies par la sémantique,* tandis que les formes de voix passive sont soumises au pléonasme grammatical obligatoire. Exemples de formes de voix active : *Les colères qu'il a FAITES, Les chaleurs qu'il a FAIT – La nuit que j'ai MANGÉ, La tarte que j'ai MANGÉE – Les princes auxquels il a SUCCÉDÉ, Les princes qu'il a SUPPLAN-TÉS – Les ancêtres dont il a HÉRITÉ, Les ancêtres qu'il a INVOQUÉS.* Exemples de formes de voix passive : *La lignée dont il est ISSU, La lignée dont elle est ISSUE – Le savant par qui ce principe a été DÉCOUVERT, Le savant par qui cette loi a été DÉCOUVERTE.*

TROISIÈME CAS : *autres emplois d'une forme de fonction I contenant une fonction A.*

1. Emploi absolu (sans nœud syntaxique ni complément syntaxique) : alors, les formes de voix active déclarent invariablement un masculin singulier : IL A PLU – ON AURA MANGÉ – IL AVAIT TONNÉ. Les formes de voix passive, ici encore, sont soumises au pléonasme grammatical obligatoire : TU SERAS COMPRIS, TU SERAS COMPRISE (cf. pléonasme en porte-à-faux, 3.4.3.4) – IL A ÉTÉ REFAIT, ELLE A ÉTÉ REFAITE.

2. Avec complément syntaxique : alors, les formes de voix active sont *entièrement régies par la sémantique :* IL A VU LA MAISON – TU M'AS DIT – VOUS L'AVEZ COMPRISE – NOUS AVONS COMPRIS LA THÈSE – VOUS LUI AVEZ SUCCÉDÉ – JE L'AI INCLUSE – JE LUI AI PARLÉ.

Les formes de voix passive, ici encore, sont soumises au pléonasme grammatical obligatoire : IL EST COMPRIS DE TOUS, ELLE EST COMPRISE DE TOUS.

3. Avec le complément SE : toutes les formes, alors, sont de voix passive, mais contrairement à ce qui s'est produit partout ailleurs, ces formes sont ici *entièrement régies par la sémantique.* Comparez : IL S'EST PLU, ELLE S'EST PLU – ILS SE SONT SUCCÉDÉ, ILS SE SONT FAVORISÉS – NOUS NOUS SOMMES APERÇUS DE NOTRE ERREUR, NOUS NOUS SOMMES COMPLU – VOUS VOUS SERIEZ DÉPLU EN CET ENDROIT.

Notons, enfin, que les observations relatives à ce 3e cas valent aussi bien pour l'hypothèse où, en plus d'avoir le complément syntaxique SE, la fonction I se trouve également en fonction nodale : MON PÈRE S'EST PLU, NOS MÈRES SE SONT PLU – VOS SŒURS SE SONT COMPLU – MON MARI ET MOI NOUS SOMMES APERÇUS DE NOTRE ERREUR – LES ADVERSAIRES NE SE SONT PAS FAVORISÉS.

3.4.3.6 *La complémentarité syntaxique et la fonction A*

Enfin, un dernier cas s'offre à l'analyse du linguiste : celui d'une *fonction A en complémentarité syntaxique*.

De même que, en 3.4.2.2, UN GARÇON dans PIERRE EST UN GARÇON nous est apparue *en complémentarité syntaxique* au même titre que UNE POMME dans PIERRE MANGE UNE POMME, de même aussi une fonction A comme GENTIL dans PIERRE EST GENTIL sera trouvée *en complémentarité syntaxique*, et au même titre que UN GARÇON ou UNE POMME. Car pour la syntaxe, PIERRE EST UN GARÇON ou PIERRE EST GENTIL, c'est une seule et même construction : fonction I avec une fonction O en fonction nodale et une autre fonction (O et A respectivement) en complémentarité syntaxique. S'analyseront de même (en fonction de complémentarité syntaxique), les fonctions A des énoncés suivants :

L'objet m'est apparu BRILLANT ;
Sa mère est devenue FOLLE ;
Cette affaire me semble LOUCHE ;
Je les veux DORÉS ;
Il est né AVEUGLE, SOURD et MUET ;
La mer est CALME.

3.4.4 PHÉNOMÈNES SYNTAXIQUES RELATIFS À LA FONCTION E

3.4.4.1 *La fonction Ea*

En 1.2.2, nous avons défini la fonction Ea ou d'articulation comme le rôle syntaxique rempli par une suite sonore en vue de marquer où l'on en est dans le discours, ou de joindre intimement deux ou plusieurs éléments de la chaîne parlée. Lorsque cette fonction a pour rôle de marquer où l'on en est dans le discours, elle figure le plus souvent au début de l'énoncé : *ALORS, il se leva et prit la parole – DONC, messieurs, je vous invite... – PAR CONSÉQUENT, notre conduite sera...*

Mais on peut fort bien la trouver ailleurs, dans l'énoncé : *Je vous invite DONC, messieurs… – Notre conduite, PAR CONSÉQUENT, sera…*

Il peut arriver, de plus, qu'une fonction Ea influence la syntaxe de l'énoncé en bouleversant l'ordre régulier des fonctions (cf. le paragraphe 3.3). Ainsi, on aura plus spontanément (mais non de façon absolument obligatoire) : *AUSSI, L'HI-VER ARRIVA-T-IL, cette année-là, beaucoup plus tôt – AINSI EN VA-T-IL de toutes ces vanités – EN CONSÉQUENCE, DEVRONT quitter les lieux ceux dont les noms suivent.*

Les fonctions Ea qui marquent où l'on en est dans le discours ne s'excluent pas les unes les autres : il arrive que la langue parlée en groupe deux ou trois, en manière d'insistance : *ET DONC, l'affaire fut dans le sac – SOIT, MAIS, TOUTE-FOIS, on exigera toujours de vous… – ET C'EST POURQUOI, je choisis la première.*

Les fonctions Ea qui joignent intimement deux ou plusieurs éléments du discours figurent entre les éléments qu'elles servent à joindre : *Mon père OU ma mère – Ils se mirent à danser ET à chanter – Elle est charmante, MAIS elle n'est pas reconnue pour telle.* – Elle peut aussi être répétée devant chacun des éléments qui sont joints : *NI mon père NI ma mère ne vous ont vus – OU par terre, OU par mer, OU par air.*

Ces derniers exemples nous amènent à un détail de structure qu'il faut ici relever. La fonction Ea qui joint des éléments du discours peut influer sur la syntaxe de l'énoncé, *quand il s'agit de OU et de NI*, de la manière suivante. On se souvient (cf. 3.4.1.2) que lorsqu'une fonction I entre en fonction nodale avec deux ou plusieurs fonctions O, cette fonction I déclare *automatiquement* un nombre *pluriel*, quel que soit d'ailleurs le nombre déclaré par chacune des fonctions O en question. Or, s'il arrive que deux ou plusieurs fonctions O entrent en fonction nodale tout en étant jointes entre elles au moyen de OU ou de NI, alors, la déclaration du nombre devient facultative, de la part de la fonction I, de sorte qu'on pourra avoir aussi bien : *Mon père ou ma mère vous ONT vus*, que : *Mon père ou ma mère vous A vus.* Seules des considérations de logique, de convenance, d'euphonie, d'intention, etc., imposeront une forme ou l'autre. De même, on dira : *Mon père ni ma mère ne SONT VENUS* ou bien : *Mon père ni ma mère n'EST VENU(E)*.

3.4.4.2 *La fonction Ei*

Considérée au plan syntaxique, la fonction Ei se présente comme la marque extérieure des fonctions I et des fonctions O. De plus, elle constitue souvent pour les fonctions O le seul instrument dont celles-ci disposent pour indiquer leur genre grammatical et/ou leur nombre.

Appelée *déictique*, cette fonction Ei précède toujours la fonction à laquelle elle se rapporte, selon ce qui a été exposé en 3.3.1 et 3.3.2.

Et si une fonction O possède en elle-même ce qu'il faut pour déclarer son propre genre grammatical et son propre nombre, alors, le déictique est soumis au *pléonasme grammatical obligatoire*, de la même manière que la fonction A (cf. précédemment, 3.4.3.3 et 3.4.3.4) : *LE chanteur, LA chanteuse – UN instituteur, UNE institutrice – MON chat, MA chatte*.

3.4.4.3 *La fonction En*

Définie (en 1.2.2) comme le rôle syntaxique rempli par une suite sonore en vue d'insister sur le rôle grammatical joué par une autre fonction (I ou O), la *fonction de notation* s'est révélée avec toute son importance au paragraphe 3.2.2, où nous avons distingué un *complément syntaxique noté* et un *complément syntaxique non noté*. Il n'y a rien à ajouter ici, sur ce sujet.

Au paragraphe 3.4.1.5, nous avons vu également l'importance de la fonction de notation, en cas de fonction I rattachée à une autre fonction I. Nous n'avons pas à y revenir, non plus.

Quatrième partie

INTELLIGENCE ET DESCRIPTION
DU FAIT LINGUISTIQUE FRANÇAIS

4.1 La langue française, un réseau de fonctions

Au terme de cette longue et complexe analyse de la langue française contemporaine, il ne sera pas inutile de rappeler le texte de R.-L. Wagner, cité au début du présent ouvrage (en 0.1), disant que « l'ambition de la linguistique statique est... d'opérer une analyse du donné brut que constitue une langue en se donnant en tout et pour tout comme hypothèse de départ la supposition qu'un système commande les actes de parole qui servent aux communications. Ce qui revient à dire qu'on ne doit rien trouver au terme de l'analyse sinon des rapports, des fonctions et des valeurs fournis par la langue elle-même... »

Cette ambition, notre théorie des LIEUX LINGUISTIQUES paraît la réaliser, en forçant en quelque sorte la langue française à livrer les secrets intimes de sa structure, les ressorts cachés de son fonctionnement. Or, ce que la langue française a livré de sa nature propre, c'est qu'elle est un tout organisé dont l'ensemble comme le détail ne révèlent que des rôles syntaxiques remplis par des unités de langage aux dimensions variables, qui n'obtiennent leur valeur propre et temporaire que dans et par un énoncé total que ces unités contribuent à édifier. Des unités, mais pas positives, pas isolables du donné brut de la langue ; des termes, mais pas positifs, pas liés en faisceaux : partout et à tous les niveaux, la langue française s'est montrée clairement comme un réseau de fonctions dont seule une description procédant du tout vers les parties saura rendre une image exacte.

Le discours français enchaîne des énoncés où tout se tient dans des conditions telles, que supprimer un élément, c'est briser l'équilibre de l'ensemble, qui rappelle la sphère géométrique, dans laquelle l'esprit a du mal à distinguer un commencement absolu et une fin absolue. La phrase française n'est pas une somme, un conglomérat de mots français : elle est un tout indivisible caractérisé par un jeu de rapports qui se conditionnent réciproquement.

Mais ce jeu de rapports a son ordre propre : on l'a appelé *l'ordre syntaxique*. Différent de l'ordre logique, il comprend des unités qui ne recouvrent pas les unités de la logique. Celle-ci travaille avec des notions, des propositions, des jugements : la syntaxe procède au moyen de totalités structurées dont les éléments constituants ne sont pas perceptibles de prime abord. L'analyse logique procède par déduction : l'analyse linguistique doit forcément procéder par induction, sous peine d'interpréter subjectivement (peut-être faussement) le donné brut de l'ordre syntaxique.

La syntaxe, ou connaissance systématique de l'ordre syntaxique, est une discipline partiellement aveugle, radicalement impuissante à distinguer les nuances logiques ou sémantiques. Ainsi, elle ne distingue pas ce qu'il peut y avoir de différence entre PIERRE MANGE LE GÂTEAU et PIERRE MANGE LE SOIR ; entre JE PRÉFÈRE L'ÉTÉ et JE ME PROMÈNE L'ÉTÉ. Pourtant, ce qu'elle voit, elle le voit avec une clarté fulgurante, et elle défendra toujours fermement le point de vue de la réalité des faits. Ainsi, elle voit que LE GÂTEAU et LE SOIR sont au même titre des compléments de MANGE. Et c'est vrai. Ce fait établi – mais seulement une fois ce fait établi – la sémantique et la logique peuvent et doivent intervenir, pour interpréter chacun des deux compléments, lesquels, *construits syntaxiquement de la même manière*, n'en ont pas moins une valeur sémantique respective fort différente d'un énoncé à l'autre.

Quand on s'abstient de raisonner à propos des faits de langue, qu'on se limite à une observation dénuée de préjugés, le fait linguistique français laisse voir un SYSTÈME sous-jacent à tous les phénomènes qui le constituent essentiellement. Et système disant éléments interdépendants, c'est

pour cela que la langue française nous a révélé constamment
des unités qui étaient des rapports ou fonctions, et des rapports
qui édifiaient un système-lié, un système de systèmes, une
STRUCTURE.

C'est cette structure dont nous voulons maintenant rendre
compte, au moyen d'un procédé d'analyse linguistique dicté
par la nature même des choses.

4.2 Procédé d'analyse linguistique qui respecte la nature des choses

Soit un énoncé très simple, comme LE CHAT DÉVORE
UNE SOURIS DANS LA CUISINE.

Puisque le donné brut de la langue présente d'emblée une
totalité structurée dans laquelle les éléments constituants ne
sont pas perceptibles de prime abord, notre analyse s'atta-
quera, dans un premier temps, à l'ensemble de l'énoncé proposé par la langue. Ce sera une première partie de notre analyse, que nous appellerons : *analyse de la structure totale*.

Ce premier temps se subdivisera en deux opérations. D'abord,
l'indication de la structure totale de l'énoncé. Ici, ce sera la
mise entre parenthèses de 4 éléments compris entre des frontières syntaxiques (cf. ce qui a été dit là-dessus, en 0.2.2) et
constituant par là des fonctions édificatrices de la structure
totale : 1. LE CHAT ; 2. DÉVORE ; 3. UNE SOURIS ;
4. DANS LA CUISINE. De façon symbolique, on écrira O^n
pour « fonction O en fonction nodale », I^n pour « fonction I
en fonction nodale » et O^c pour « fonction O en complémentarité syntaxique ». L'indication de la structure totale se fera
donc comme suit :

I. ANALYSE DE LA STRUCTURE TOTALE

A. *Structure totale :* $O^n.I^n.O^c.O^c$ (les points indiquent qu'il
s'agit de *rapports, non d'additions*).

(Le chat) (dévore) (une souris) (dans la cuisine)

La seconde opération du premier temps consistera dans un inventaire des fonctions grammaticales constitutives de l'énoncé à analyser. Ici, on obtient la liste suivante :

B. *Fonctions grammaticales :*

1. Nœud syntaxique : LE CHAT – DÉVORE ;
2. Complément noté : DANS LA CUISINE ;
3. Complément non noté : UNE SOURIS.

Une fois ces deux opérations effectuées, on a tout ce qu'il faut pour une juste intelligence de l'énoncé proposé : on en connaît toutes les unités constituantes et on rend compte de leur rôle respectif dans l'édification de la totalité.

Cependant, de même que l'on peut démonter une machine, en isoler toutes les pièces ; de même que l'on peut démembrer un être vivant, en isoler tous les organes ; de même aussi, l'analyse linguistique peut « disséquer » un énoncé, isoler toutes ses parties constituantes. Mais pour cela, il est nécessaire d'arrêter la machine, de tuer l'animal, de faire violence à la réalité linguistique (cf. ce que dit à ce propos le 3ᵉ principe de notre théorie, en 0.2.3) : nous désignerons cette opération sous l'appellation d'*analyse des éléments*. Et celle-ci consistera à reprendre chacune des parenthèses (chacun des *éléments* constituants de l'énoncé) indiquées au premier temps de l'analyse, et à y trouver d'autres frontières syntaxiques révélatrices d'autres unités aux dimensions plus restreintes et dotées de valeurs diverses.

II. ANALYSE DES ÉLÉMENTS

Comme préambule à ce second temps de l'analyse, il est commode de présenter une visualisation à la fois des résultats

(déjà acquis) de l'analyse structurale et de ceux (à élucider)
de l'analyse des éléments. Pour cela, écrivons d'abord l'énoncé
au complet, puis indiquons, au moyen de lignes verticales, les
frontières syntaxiques que comprend l'énoncé :

$$\text{LE CHAT} \mid \text{DÉVORE} \mid \text{UNE SOURIS} \mid \text{DANS LA CUISINE} \mid .$$

Maintenant, indiquons les fonctions grammaticales déjà
identifiées, en ajoutant, entre les frontières syntaxiques et
au-dessus du texte, les symboles correspondant aux unités y
contenues :

$$O^n \mid I^n \mid O^c \mid O^c$$
$$\text{LE CHAT} \mid \text{DÉVORE} \mid \text{UNE SOURIS} \mid \text{DANS LA CUISINE} \mid .$$

Pour l'opération suivante, soulignons l'énoncé, puis indiquons, entre les mêmes frontières déjà posées, les nouvelles
frontières livrées par l'analyse des éléments, en traçant ces
dernières à partir du trait qui souligne l'énoncé. Assurons-
nous que ces nouvelles indications soient tout entières en
dehors de l'énoncé même (car ici, on fait violence à la réalité
linguistique) :

$$O^n \mid I^n \mid O^c \mid O^c$$
$$\underline{\text{LE CHAT} \mid \text{DÉVORE} \mid \text{UNE SOURIS} \mid \text{DANS LA CUISINE}} \mid .$$

Il ne reste plus qu'à indiquer, entre les nouvelles frontières, les fonctions qui s'y trouvent comprises :

O^n	I^n	O^c	O^c	
LE CHAT	DÉVORE	UNE SOURIS	DANS LA CUISINE	.
Ei ǀ O	I	Ei ǀ O	En ǀEiǀ O	

Enfin, un tableau rendra compte de tous ces phénomènes, en fournissant le menu détail de l'analyse. On fera 4 colonnes d'inégale largeur (cf. le modèle qui suit), auxquelles on appliquera respectivement les indications suivantes :

1re *colonne :* Fonctions lexicales ;
2e *colonne :* Symboles ;
3e *colonne :* Fonctions grammaticales (= le COMMENT) ;
4e *colonne :* Fonctions sémantiques (= le POURQUOI).

La 4e colonne n'est déjà plus syntaxique, mais elle est nécessaire à une *analyse linguistique*, laquelle se doit de rendre compte à la fois du COMMENT (= *syntaxe*) et du POURQUOI (= *sémantique*) de chacun des éléments constituant l'énoncé.

F. lexicales	Symb.	Fonctions grammaticales = le COMMENT	Fonctions sémantiques = le POURQUOI
LE	Ei	masculin singulier indique CHAT	indique qui dévore une souris dans la cuisine
CHAT	O^n	masculin singulier en fonction nodale avec DÉVORE	

F. lexicales	Symb.	Fonctions grammaticales = le COMMENT	Fonctions sémantiques = le POURQUOI
DÉVORE	I^n	3e pers. grammat. singulier temps gram. prés. mode indicatif voix active aspect duratif	indique l'activité du chat
UNE	Ei	féminin singulier indique SOURIS	indique ce que le chat dévore
SOURIS	O^c	féminin singulier en complémentarité syntaxique par rapport à DÉVORE	
DANS	En	note l'emploi de LA CUISINE en complémentarité syntaxique	
LA	Ei	féminin singulier indique CUISINE	indique une circonstance de lieu
CUISINE	O^c	féminin singulier en complémentarité syntaxique par rapport à DÉVORE	

4.3 Analyse linguistique d'énoncés français

INDICATIONS PRÉLIMINAIRES

Voici la liste des symboles utilisés au cours des analyses qui suivent, avec leur signification respective :

I $\quad$ = fonction de procès (cf. 1.2.2.1)
O $\quad$ = fonction de dénomination (cf. 1.2.2.2)
A $\quad$ = fonction de spécification (cf. 1.2.2.3)
Ea $\quad$ = fonction d'articulation ⎫
Ei $\quad$ = fonction d'indication ⎬ (cf. 1.2.2.4)
En $\quad$ = fonction de notation ⎭
O^n = fonction O en fonction nodale (cf. 3.2.1)
I^n = fonction I en fonction nodale (cf. 3.2.1)
O^c = fonction O en complémentarité syntaxique (cf. 3.2.2)
NS = nœud syntaxique (cf. 3.2.1)
NS^n = nœud syntaxique en fonction nodale
NS^c = nœud syntaxique en complémentarité syntaxique
I^{nr} = fonction de procès en fonction nodale mais rattachée à une autre fonction I
I^c = fonction de procès en complémentarité syntaxique
A^c = fonction de spécification en complémentarité syntaxique
+ $\quad$ = indication de la juxtaposition de deux fonctions
() $\quad$ = indication d'une fonction insérée
$\underset{\frown}{A\ A}$ = fonction A sous forme de morphème discontinu
$\underset{\smile}{I\ I}$ = fonction I contenant une fonction A (cf. 3.1.1.2).

ANALYSE LINGUISTIQUE Nᵒ 1

ÉNONCÉ : L'hiver, derrière notre maison, les enfants construisent de jolis forts, avec de la neige.

I. ANALYSE DE LA STRUCTURE TOTALE

A. *Structure totale :* $O^c.O^c.O^n.I^n.O^c.O^c$
(L'hiver) (derrière notre maison) (les enfants) (construisent) (de jolis forts) (avec de la neige)

B. *Fonctions grammaticales :*

1. Nœud syntaxique : les enfants – construisent.
2. Compléments notés : derrière notre maison ;
   avec de la neige.
3. Compléments non notés : l'hiver ;
   de jolis forts.

II. ANALYSE DES ÉLÉMENTS

O^c	O^c		O^n	I^n
L'hiver,	derrière notre maison,		les enfants	construisent
Ei O	En	Ei O	Ei O	I

O^c	O^c
de jolis forts,	avec de la neige .
Ei A O	En Ei O

F. lexicales	Symb.	F. grammaticales = le COMMENT	F. sémantiques = le POURQUOI
L'	Ei	masculin singulier indique HIVER	
HIVER	O^c	masculin singulier complément non noté de LES ENFANTS CONSTRUISENT	indique une circonstance de temps

F. lexicales	Symb.	F. grammaticales = le COMMENT	F. sémantiques = le POURQUOI
DERRIÈRE	En	note l'emploi de NOTRE MAISON en complémentarité syntaxique	
NOTRE	Ei	féminin singulier indique MAISON	indique une circonstance de lieu
MAISON	O^c	féminin singulier complément noté de LES ENFANTS CONSTRUISENT	
LES	Ei	masculin pluriel indique ENFANTS	
ENFANTS	O^n	masculin pluriel en fonction nodale avec CONSTRUI-SENT	indique qui construit de jolis forts
CONSTRUI-SENT	I^n	3ᵉ pers. gram. pluriel temps gram. prés. mode indicatif voix active aspect duratif en fonction nodale avec LES ENFANTS	indique quelle est l'activité des enfants

F. lexicales	Symb.	F. grammaticales = le COMMENT	F. sémantiques = le POURQUOI
DE	Ei	indique JOLIS FORTS	
JOLIS	A	masculin pluriel	indique ce que les enfants construisent
FORTS	O^c	spécifie FORTS masculin pluriel complément non noté de LES ENFANTS CON-STRUISENT	
AVEC	En	note l'emploi de DE LA NEIGE en complémentarité syntaxique	
DE LA	Ei	féminin singulier	indique une circonstance de moyen
NEIGE	O^c	indique NEIGE féminin singulier complément noté de LES ENFANTS CONSTRUISENT	

ANALYSE LINGUISTIQUE N° 2

ÉNONCÉ : Tous les jours, je vais au jardin pour jouer.

I. ANALYSE DE LA STRUCTURE TOTALE

    A. *Structure totale :* O^c.I.O^c.O^c
(Tous les jours) (je vais) (au jardin) (pour jouer)

B. *Fonctions grammaticales :*

1. Nœud syntaxique : aucun.
2. Compléments notés : au jardin ;
   pour jouer.
3. Complément non noté : tous les jours.

II. ANALYSE DES ÉLÉMENTS

O^c Tous les jours,	I je vais	O^c au jardin	O^c pour jouer	
A | Ei | O	Ei | I	En | O	En | O	.
		+		
		Ei		

F. lexicales	Symb.	F. grammaticales = le COMMENT	F. sémantiques = le POURQUOI
TOUS	A	masculin pluriel spécifie LES JOURS	
LES	Ei	masculin pluriel indique JOURS	indique une circonstance de temps
JOURS	O^c	masculin pluriel complément non noté de JE VAIS	

F. lexicales	Symb.	F. grammaticales = le COMMENT	F. sémantiques = le POURQUOI
JE	Ei	indique VAIS	
VAIS	I	1re pers. gr. singulier temps gram. prés. mode indicatif voix active aspect itératif	indique de quelle activité il s'agit
AU	En+Ei	À : note l'emploi de LE JARDIN en complémentarité syntaxique LE : masculin singulier indique JARDIN	indique une circonstance de lieu
JARDIN	O^c	masculin singulier complément noté de JE VAIS	
POUR	En	note l'emploi de JOUER en complé- mentarité syntaxique	
JOUER	O^c	notion de procès actualisée en fonc- tion O masculin singulier complément noté de JE VAIS	indique une circonstance de but ou d'intention

ANALYSE LINGUISTIQUE Nº 3

ÉNONCÉ : « Achève, et prends ma vie, après un tel affront. »

(Corneille)

I. ANALYSE DE LA STRUCTURE TOTALE

A. *Structure totale :* I.Ea.I.O^c.O^c
(Achève) (et) (prends) (ma vie) (après un tel affront)

B. *Fonctions grammaticales :*
1. Nœud syntaxique : aucun (seulement 2 fonctions I jointes par une fonction Ea).
2. Complément noté : après un tel affront.
3. Complément non noté : ma vie.

II. ANALYSE DES ÉLÉMENTS

I	Ea	I	O^c		O^c		
Achève,	et	prends	ma vie,		après un tel affront·		
			Ei	O	En	Ei	A	O

F. lexicales	Symb.	F. grammaticales = le COMMENT	F. sémantiques = le POURQUOI
ACHÈVE	I	2e pers. gr. singulier temps gram. prés. mode impératif voix active aspect ponctuel	intime un ordre
ET	Ea	joint ACHÈVE et PRENDS	

F. lexicales	Symb.	F. grammaticales = le COMMENT	F. sémantiques = le POURQUOI
PRENDS	I	2ᵉ pers. gr. singulier temps gram. prés. mode impératif voix active aspect ponctuel	intime un ordre
MA	Ei	féminin singulier indique VIE	indique ce qu'on intime de prendre
VIE	Oᶜ	féminin singulier complément non noté de PRENDS	
APRÈS	En	note l'emploi de UN TEL AFFRONT en complémentarité syntaxique	indique un motif ou une circon- stance de temps
UN	Ei	masculin singulier indique TEL AFFRONT	
TEL	A	masculin singulier spécifie AFFRONT	
AFFRONT	Oᶜ	masculin singulier complément noté de ACHÈVE ET PRENDS MA VIE	

ANALYSE LINGUISTIQUE N° 4

ÉNONCÉ : La plupart des chasseurs, le premier chevreuil, ils le manquent.

I. ANALYSE DE LA STRUCTURE TOTALE

A. *Structure totale :* $O+O+O^c.I$
(La plupart des chasseurs) (le premier chevreuil) (ils le manquent).

B. *Fonctions grammaticales :*
1. Nœud syntaxique : aucun (trois fonctions juxtaposées).
2. Complément non noté : le (dans la 3ᵉ fonction juxtaposée).

II. ANALYSE DES ÉLÉMENTS

O		O		
La plupart des chasseurs,		le premier chevreuil,		
Ei	O	Ei	A	O

$O^c. I$		
ils le manquent.		
Ei	O^c	I

F. *lexicales*	*Symb.*	F. *grammaticales* = le COMMENT	F. *sémantiques* = le POURQUOI
LA PLUPART DES	Ei	masculin pluriel indique CHAS-SEURS	expression d'une notion
CHASSEURS	O	masculin pluriel juxtaposée à LE PREMIER CHE-VREUIL	

F. lexicales	Symb.	F. grammaticales = le COMMENT	F. sémantiques = le POURQUOI
LE	Ei	masculin singulier indique PREMIER CHEVREUIL	
PREMIER	A	masculin singulier spécifie CHE-VREUIL	expression d'une notion
CHEVREUIL	O	masculin singulier juxtaposée à LA PLUPART DES CHASSEURS et à ILS LE MANQUENT	
ILS	Ei	pluriel indique MAN-QUENT	
LE	O^c	3e pers. gram. masculin singulier complément non noté de ILS MAN-QUENT	ce qu'on a voulu dire de la plupart des chasseurs
MANQUENT	I	3e pers. gram. pluriel temps gram. prés. mode indicatif voix active aspect ponctuel	

ANALYSES LINGUISTIQUES ABRÉGÉES ET VISUALISÉES

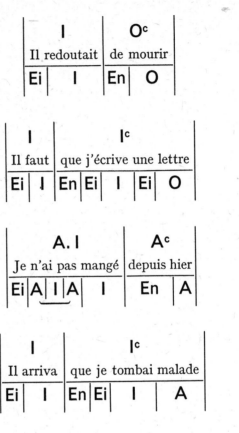

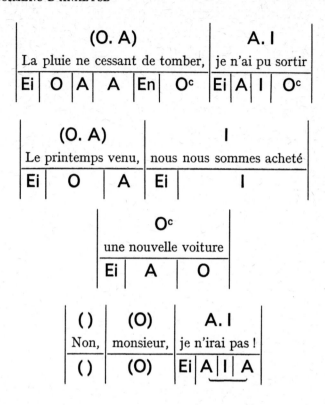

ANALYSE LINGUISTIQUE ABRÉGÉE ET VISUALISÉE DE LA FABLE :
LA CIGALE ET LA FOURMI (LA FONTAINE)

Ier ÉNONCÉ :

2ᵉ ÉNONCÉ :

A. O				A	Ea	A
Pas un seul petit morceau				de mouche	ou	de vermisseau.
A	Ei	A	A	O En O	Ea En	O

3ᵉ ÉNONCÉ :

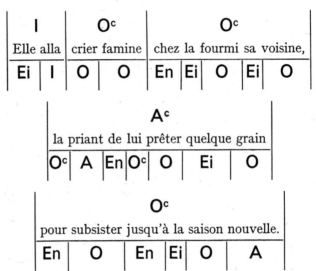

I	Oᶜ	Oᶜ
Elle alla	crier famine	chez la fourmi sa voisine,
Ei I	O O	En Ei O Ei O

Aᶜ
la priant de lui prêter quelque grain
Oᶜ   A   En Oᶜ   O   Ei   O

Oᶜ
pour subsister jusqu'à la saison nouvelle.
En   O   En Ei O   A

4ᵉ ÉNONCÉ :

Oᶜ. I	(Oᶜ. I)	Oᶜ	(O. A)
Je vous paierai,	lui dit-elle,	avant l'août,	foi d'animal,
Ei O I	O I Ei	En Ei O	O En O

Oᶜ	Ea	Oᶜ
intérêt	et	principal.
O	Ea	O

5ᵉ ÉNONCÉ :

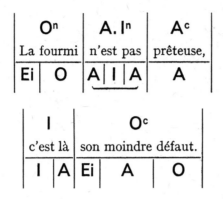

Oⁿ	A. Iⁿ	Aᶜ
La fourmi	n'est pas	prêteuse,
Ei O	A I A	A

I	Oᶜ
c'est là	son moindre défaut.
I A Ei	A O

6ᵉ ÉNONCÉ :

Oᶜ	I	Oᶜ
Que	faisiez-vous	au temps chaud?
Oᶜ	I Ei	En+Ei O A

(I. Oᶜ)
dit-elle à cette emprunteuse.
I   Ei   En   Ei   O

7ᵉ ÉNONCÉ :

Oᶜ	Oᶜ	I	(A. Oᶜ. I)
Nuit et jour	à tout venant	je chantais,	ne vous déplaise.
O Ea O	En A O	Ei I	A O I

8ᵉ ÉNONCÉ :

I		I			Aᶜ	
Vous chantiez?		J'en suis			fort aise.	
Ei	I	Ei	Oᶜ	I	A	A

()		I	A
Eh! bien,		dansez	maintenant!
()		I	A

APPENDICE I

A. Les UNITÉS MINIMALES = 36 phonèmes.

B. Les ÉLÉMENTS CONSTITUTIFS DU DISCOURS = des rapports syntaxiques (formés par des groupements de phonèmes), qui viennent se ranger sous 4 catégories :
   a. Fonction de procès (I) ;
   b. Fonction de dénomination (O) ;
   c. Fonction de spécification (A) ;
   d. Fonction de signalisation (E) :
      – fonction d'articulation (Ea) ;
      – fonction d'indication (Ei) ;
      – fonction de notation (En).

C. *Relations de ces éléments les uns avec les autres*
   a. Le NŒUD SYNTAXIQUE et la COMPLÉMENTARITÉ SYNTAXIQUE.
   b. La DÉPENDANCE des fonctions I, les unes par rapport aux autres.
   c. La JUXTAPOSITION.
   d. L'INSERTION.
   e. La NOTION DE PROCÈS et ses 3 actualisations syntaxiques.
   f. Le PLÉONASME GRAMMATICAL OBLIGATOIRE.

LA STRUCTURE DU FRANÇAIS CONTEMPORAIN

Visualisation de *B* et *C, a)* de la page précédente

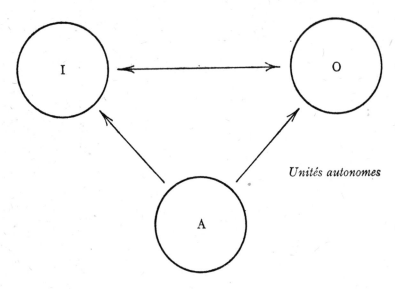

Unités autonomes

Ea, Ei, En   *Unités non autonomes*

NŒUD SYNTAXIQUE ET COMPLÉMENTARITÉ SYNTAXIQUE

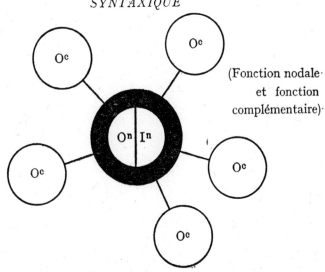

(Fonction nodale
et fonction
complémentaire)

APPENDICE II

Rapports syntaxiques	*Exemples*
1. Fonction de *procès*	Il pleut.
2. Fonction de *dénomination*	Les opiniâtres. / Moi.
3. Fonction de *spécification*	Splendide. / Doucement.
4. Fonctions de *signalisation :*	
a = F. d'*articulation*	Par conséquent. / Et.
b = F. d'*indication*	Cette. / Trois.
c = F. de *notation*	Afin que. / Sur.
5. *Nœud syntaxique :*	
a = $O^n.I^n$	La maison s'écroule.
b = $I^n.I^n$	Qu'on chante serait agréable.
c = F. O en fonction nodale double	Qui a bu boira.
6. *Complémentarité syntaxique :*	
a = O^c non noté	Il rôde LA NUIT.
b = O^c noté	Il rôde DURANT LA NUIT.
c = I^c (toujours noté)	Je veux QUE TU VIENNES.
d = A^c	Paul est AIMABLE.
7. *Dépendance syntaxique :*	
a = Fonction I *maîtresse*	JE VEUX que tu viennes.
b = F. I *rattachée* à une autre fonction I	Viens SI TU VEUX.

8. *Juxtaposition syntaxique :*

a = O+O+O	Des hommes, des femmes, des enfants.
b = I+I+I	Je suis venu, j'ai vu, j'ai vaincu.
c = A+A+A	Distingué, charmant, attrayant.
d = O+I	L'argent, ça manque.

9. *Insertion :*

a = syntaxique :

– F. I insérée	Je paierai, DIT-ELLE, avant l'août.
– F. O insérée	L'amour, MONSIEUR, ne se commande pas.
– O.A inséré	LE PRINTEMPS REVENU, nous partirons.
b = non syntaxique	Oui. / Hélas !

10. La *notion de procès* et ses trois actualisations syntaxiques :

a = en F. I	Il chante.
b = en F. O	Chanter.
c = en F. A	Chantant. / Chantées.

11. *Pléonasme grammatical obligatoire*

a = Nœud syntaxique	Le garçon s'en va.
	Les garçons s'en vont.
b = F. A	Le beau crayon.
	La belle plume.
	Les palais royaux.
c = Pléonasme grammatical *en porte-à-faux*	Je suis heureux.
	Je suis heureuse.

APPENDICE III

/ləʃəvalnwaːrtiːrlavwatyːrruːʒ/

(Le cheval noir tire la voiture rouge)

*** *Cet énoncé comprend les rapports syntaxiques suivants :*

1. Le phonème /l/ contribue par sa nature à former le déictique LE.
2. Le phonème /l/ contribue par sa position à former le déictique LE.
3. Le phonème /ə/ contribue par sa nature à former le déictique LE.
4. Le phonème /ə/ contribue par sa position à former le déictique LE.
5. LE joue le rôle de déictique.
6. LE déclare un genre grammatical masculin.
7. LE déclare un nombre singulier.
8. Le phonème /ʃ/ contribue par sa nature à former la fonction O CHEVAL.
9. Le phonème /ʃ/ contribue par sa position à former la fonction O CHEVAL.
10. Le phonème /ə/ contribue par sa nature à former la fonction O CHEVAL.
11. Le phonème /ə/ contribue par sa position à former la fonction O CHEVAL.
12. Le phonème /v/ contribue par sa nature à former la fonction O CHEVAL.
13. Le phonème /v/ contribue par sa position à former la fonction O CHEVAL.

14. Le phonème /a/ contribue par sa nature à former la fonction O CHEVAL.
15. Le phonème /a/ contribue par sa position à former la fonction O CHEVAL.
16. Le phonème /l/ contribue par sa nature à former la fonction O CHEVAL.
17. Le phonème /l/ contribue par sa position à former la fonction O CHEVAL.
18. CHEVAL constitue une fonction O.
19. CHEVAL déclare un nombre singulier.
20. LE CHEVAL est en fonction nodale avec TIRE.
21. Le phonème /n/ contribue par sa nature à former la fonction A NOIR.
22. Le phonème /n/ contribue par sa position à former la fonction A NOIR.
23. Le phonème /w/ contribue par sa nature à former la fonction A NOIR.
24. Le phonème /w/ contribue par sa position à former la fonction A NOIR.
25. Le phonème /a:/ contribue par sa nature à former la fonction A NOIR.
26. Le phonème /a:/ contribue par sa position à former la fonction A NOIR.
27. Le phonème /r/ contribue par sa nature à former la fonction A NOIR.
28. Le phonème /r/ contribue par sa position à former la fonction A NOIR.
29. NOIR constitue une fonction A.
30. NOIR déclare un genre grammatical masculin.
31. NOIR déclare un nombre singulier.
32. NOIR spécifie LE CHEVAL.
33. Le phonème /t/ contribue par sa nature à former la fonction I TIRE.
34. Le phonème /t/ contribue par sa position à former la fonction I TIRE.
35. Le phonème /i:/ contribue par sa nature à former la fonction I TIRE.
36. Le phonème /i:/ contribue par sa position à former la fonction I TIRE.

37. Le phonème /r/ contribue par sa nature à former la fonction I
    TIRE.
38. Le phonème /r/ contribue par sa position à former la fonction I
    TIRE.
39. TIRE déclare une troisième personne grammaticale.
40. TIRE déclare un nombre singulier.
41. TIRE déclare un temps grammatical présent.
42. TIRE déclare une voix active.
43. TIRE déclare un aspect imperfectif.
44. TIRE déclare un mode indicatif.
45. TIRE est en fonction nodale avec LE CHEVAL NOIR.
46. Le phonème /l/ contribue par sa nature à former le déictique
    LA.
47. Le phonème /l/ contribue par sa position à former le déictique
    LA.
48. Le phonème /a/ contribue par sa nature à former le déictique
    LA.
49. Le phonème /a/ contribue par sa position à former le déictique
    LA.
50. LA joue le rôle de déictique.
51. LA déclare un genre grammatical féminin.
52. LA déclare un nombre singulier.
53. Le phonème /v/ contribue par sa nature à former la fonction O
    VOITURE.
54. Le phonème /v/ contribue par sa position à former la fonction O
    VOITURE.
55. Le phonème /w/ contribue par sa nature à former la fonction O
    VOITURE.
56. Le phonème /w/ contribue par sa position à former la fonction O
    VOITURE.
57. Le phonème /a/ contribue par sa nature à former la fonction O
    VOITURE.
58. Le phonème /a/ contribue par sa position à former la fonction O
    VOITURE.
59. Le phonème /t/ contribue par sa nature à former la fonction O
    VOITURE.
60. Le phonème /t/ contribue par sa position à former la fonction O
    VOITURE.
61. Le phonème /y:/ contribue par sa nature à former la fonction O
    VOITURE.

62. Le phonème /y: / contribue par sa position à former la fonction O VOITURE.
63. Le phonème /r / contribue par sa nature à former la fonction O VOITURE.
64. Le phonème /r / contribue par sa position à former la fonction O VOITURE.
65. LA VOITURE est complément syntaxique de LE CHEVAL NOIR TIRE.
66. Le phonème /r / contribue par sa nature à former la fonction A ROUGE.
67. Le phonème /r / contribue par sa position à former la fonction A ROUGE.
68. Le phonème /u: / contribue par sa nature à former la fonction A ROUGE.
69. Le phonème /u: / contribue par sa position à former la fonction A ROUGE.
70. Le phonème /ʒ / contribue par sa nature à former la fonction A ROUGE.
71. Le phonème /ʒ / contribue par sa position à former la fonction A ROUGE.
72. ROUGE déclare un genre grammatical masculin.
73. ROUGE déclare un nombre singulier.
74. ROUGE constitue une fonction A.
75. ROUGE spécifie LA VOITURE.

Les *75 rapports syntaxiques* constitutifs de l'énoncé donné se répartissent en *18 catégories* différentes :

1. Nature de phonème.
2. Position de phonème.
3. Morphèmes préfixaux.
4. Morphèmes suffixaux.
5. Fonction de procès.
6. Fonction de dénomination.
7. Fonction de spécification.
8. Fonction d'indication.
9. Déclaration de genre grammatical.
10. Déclaration de nombre.
11. Déclaration de personne grammaticale.

12. Déclaration de mode grammatical.
13. Déclaration de voix.
14. Déclaration de temps grammatical.
15. Déclaration d'aspect.
16. Nœud syntaxique.
17. Complémentarité syntaxique.
18. Pléonasme grammatical obligatoire.

APPENDICE IV

1. *Une fonction lexicale seule*

    $I:$ Il pleut. Nous avons faim. Hâtez-vous ! Il fait chaud.

    $O:$ Phèdre. Les opiniâtres. Deux héros. Pharmacie.

    $A:$ Ouvert. Splendide ! A pas feutrés. Doucement.

2. *Nœud syntaxique et complémentarité syntaxique*

    $O^n.I^n:$ Le cheval trotte. Nos sœurs sont venues. Mon départ approche.

    $I.O^c:$ Mangeons cette pomme. Il gèlera ce soir. Il pleut des clous.

    $O^n.I^n.O^c:$ Le cheval tire un landau. Bébé mange sa soupe.

    $I^n.I^n:$ Que vous chantiez suffirait.

    $I.I^c:$ Il suffirait que vous chantiez.

    $O^n.I^n.A^c:$ Pierre est gentil. Votre enfant est turbulent.

3. *Fonctions insérées*

    $I.(I).O^c:$ Je paierai, dit-elle, avant l'août.

    $I.(O).O^c:$ Agréez, monsieur, mes respects.

    $(O.A).O^n.I^n:$ Le printemps revenu, la nature s'anime.

4. *Notions de procès et fonctions syntaxiques*

    $I:$ Il construit. Nous construirions. Que vous construisiez.

    $O:$ Le rire. Construire. Les savoirs.

    $A:$ Construisant. Construites.

    $O^n.I^n:$ Mon frère s'en va.

    $I.O^c:$ Je vois mon frère s'en aller ($= I.O^n.O^n$).

    $I.O^c:$ Je cueille des fleurs.

$I.O^c.O^c:$ Je viens cueillir des fleurs.

$O^n.I^n.O^c:$ Mon frère cueille des fleurs.

$I.O^c:$ Je vois mon frère cueillir des fleurs ($= I.O^n.O^n.O^c$).

$I.O^c:$ Je cueille des fleurs.

$I.A.O^c:$ J'ai été vu cueillant des fleurs.

$O^n.I^n.O^c:$ Mon frère cueille des fleurs.

$I.A^c:$ J'ai vu mon frère cueillant des fleurs ($= I.O^n.$ $A^n.O^c$)

5. *Fonctions juxtaposées*

$O + O:$ Mon frère, ma sœur. Des couteaux, des fourchettes.

$I + I:$ Viens, regarde. Venez, mangeons. Il flaire, s'en retourne.

$A + A:$ Réussi, splendide! Gros, ventru. Charmante, attrayante.

$O + I:$ Les chats, ça miaule. Ces gens-là, ils s'aiment.

$I + O:$ Ça miaule, les chats. Ils se battent, mes enfants.

6. *Fonction nodale double*

Quiconque sortira sera puni. Qui a bu boira. Qui veut peut.

7. *Nœud syntaxique en fonction nodale* (NS^n)

Que votre fille chante serait agréable.

8. *Nœud syntaxique en fonction complémentaire* (NS^c)

Il serait agréable que votre fille chante.

9. *Fonction de procès en fonction nodale mais rattachée à une autre fonction I* (I^{nr})

Si votre fille chantait, ce serait agréable.

INDICATIONS BIBLIOGRAPHIQUES

AJDUKIEWICZ, K., « Die Syntaktische Konnexität ». *Stud. Phil.* I (1935) : 1-27.

ANGERS, P., S. J., *L'enseignement du français au niveau secondaire et à l'université.* Montréal, Centre Pédagogique des Jésuites Canadiens, 1963, 113 p. (Mémoire présenté à la Commission royale d'enquête sur l'enseignement).

BALLY, C., *Linguistique générale et linguistique française.* Berne, Francke, (1952), 370 p.

BAR-HILLEL, Y., « A Quasiarithmetical Notation for Syntactic Description ». *Language* 29 (1953) : 47-58.

BAZELL, C. E., « On the Problem of the Morpheme ». *Archivum Linguisticum* I, I (1949) : 1-15.

BAZELL, C. E., « Syntactic Relations and Linguistic Typology ». *Cahiers Ferdinand de Saussure* 8 (1949).

BENVENISTE, E., « La phrase nominale ». *BSL* 46 (1950) : 19-36.

BLOCH, B., & TRAGER, G., *Outline of Linguistic Analysis.* Baltimore, (1942), 82 p.

BLOOMFIELD, L., *Language.* London, Allen & Unwin (1950), 545 p.

BOAS, F., *Grammatical Categories.* General Course in Language (Language I). U. of Chicago Press, 1949, 57-70.

BOIS, S., *Explorations in Awareness.* N.-Y., Harper & Bros., (1957), 203 p.

BORGSTRÖM, C. Hj., « The Technique of Linguistic Descriptions ». *ALC* 5 (1945-49) : 1-14.

BRØNDAL, V., « Les oppositions linguistiques ». *Journal de Psychologie* 35 (1938) : 161-169.

BRØNDAL, V., « Le concept de 'personne' en grammaire et la nature du pronom ». *Journal de Psychologie* 36 (1939) : 175-182.

BRØNDAL, V., « Structure et variabilité des systèmes morphologiques ». *Scientia* 58 (1935) : 109-119.

BROWN, J. C., « LOGLAN » (Logical Language). *Scientific American*
202, 6 (1960) : 53-63.

BRUNOT, F., *La pensée et la langue*. Paris, Masson, 1922, 898 p.

BUYSSENS, E., « La conception fonctionnelle des faits linguistiques ».
Journal de Psychologie 43 (1950) : 37-53.

CARROLL, J. B., *The Study of Language*. Cambridge, (1955), 268 p.

CHOMSKY, N., « Three Models for the Description of Language ».
IRE Transl. Inform. Theory, IT-2 (1956) : 113-124.

CHOMSKY, N., *Syntactic Structures*. La Haye, Mouton & Co., 2e éd.,
1962, 114 p.

COHEN, M., « Aspect et temps dans le verbe ». *Journal de Psychologie* 24 (1927) : 618-619.

COLLINSON, W. E., « Some Recent Trends in Linguistic Theory
with Special Reference to Syntactics ». *Lingua* I, 3 : 306-332.

DE FÉLICE, Th., *Éléments de grammaire morphologique*. Paris,
Didier, (1950), 55 p.

DE GROOT, A. W., « Structural Linguistics and Word Classes ».
Lingua I, 4 : 427-500.

DE GROOT, A. W., « Structural Linguistics and Syntactic Laws ».
Word 5, 1 (1949) : 1-12.

DELACROIX, H., *L'analyse psychologique de la fonction linguistique*.
Oxford, Clarendon Press, 1926.

DE SAUSSURE, F., *Cours de Linguistique générale*. Paris, Payot,
dern. éd., 1960, 317 p.

DE SAUSSURE, F., *Cours de Linguistique générale (1908-1909)*.
Introduction (d'après des notes d'étudiants). *Cahiers F. de S.* 15
(1957) : 6-103.

DESSAINTES, M., *Éléments de linguistique descriptive* (en fonction
de l'enseignement du français). Namur/Bruxelles, La Procure,
1960, 244 p.

DIDERICHSEN, P., « The Importance of Distribution Versus Other
Criteria in Linguistic Analysis ». *Actes du 8e Congr. intern. de
Ling.* (1958) : 156-182.

EBELING, C. L., *Linguistic Units*. La Haye, Mouton & Co., 1960,
143 p.

ENTWISTLE, W. J., *Aspects of Language*. London, Faber & Faber,
(1953), 366 p.

FIRTH, J. R., *Studies in Linguistic Analysis*. Oxford, 1957.

FISCHER, M., & HACQUARD, G., *A la découverte de la grammaire
française*. Paris, Hachette, (1959), 532 p.

FREI, H., *La grammaire des fautes*. Paris, Geuthner, (1929), 317 p.

FREI, H., « Langue, parole et différenciation ». *Journal de Psychologie* 45 (1952) : 137-157.

FRIES, C., *The Structure of English*. N.-Y., Harcourt & Brace, (1952), 296 p.

GALICHET, G., *Physiologie de la langue française*. PUF, « Que sais-je? » N° 392, 135 p.

GALICHET, G., *Essai de grammaire psychologique*. PUF, (1950), 215 p.

GALICHET, G., *Méthodologie grammaticale*. PUF, (1953), 225 p.

GALICHET, G., « Valeurs sémantiques et valeurs grammaticales ». *Journal de Psychologie* 41 (1948) : 206-215.

GLEASON, H. A., *An Introduction to Descriptive Linguistics*. N.-Y., Henry Holt, (1955), 378 p.

GLEASON, H. A., *Workbook in Descriptive Linguistics*. N.-Y., Henry Holt, (1959), 88 p.

GODEL, R., *Les sources manuscrites du Cours de Linguistique générale de F. de Saussure*. Genève, Droz/Paris, Minard, 1957, 281 p.

GOUGENHEIM, G., « Morphologie et fonctions grammaticales. » *Journal de Psychologie* 52 (1959) : 417-426.

GUILLAUME, G., *Le problème de l'article*. Paris, Hachette, 1919.

GUILLAUME, G., « Immanence et transcendance dans la catégorie du verbe ». *Journal de Psychologie* 30 (1933) : 355-374.

GUILLAUME, G., *La langue est-elle ou n'est-elle pas un système?* Cahiers de ling. structurale n° 1, PU Laval, 1952, 30 p.

GUILLAUME, G., « Esquisse d'une théorie psychologique de la déclinaison ». *ALC* I, 3 (1939) : 167-178.

GUILLAUME, P., *La Psychologie de la forme*. Paris, Flammarion, (1937), 229 p.

GUIRAUD, P., *La grammaire*. PUF, « Que sais-je? » N° 788, 124 p.

GUIRAUD, P., *La syntaxe du français*. PUF, « Que sais-je? » N° 984, 126 p.

HALL, R., *Leave Your Language Alone!* Ithaca, N.-Y., (1950), 254 p.

HAMMERICH, L. L., « Les glossématistes danois et leurs méthodes ». *Acta Philologica Scandinavica* 21, 1 (1950) : 1-21.

HARRIS, Z. S., « From Morpheme to Utterance ». *Language* 43 (1946) : 161-183.

HARRIS, Z. S., « Discourse Analysis ». *Language* 28 (1952) : 1-30 et 474-494.

HARRIS, Z. S., *Methods in Structural Linguistics*. U. of Chicago Press, (1951), 384 p.

HARRIS, Z. S., « Co-occurrence and Transformation in Linguistic Structure ». *Language* 33 (1957) n° 3 (Part I) : 283-340.

HARRISON, J., (trad. HEURGON, J.), « L'imperfectif dans la langue et la littérature ». *Journal de Psychologie* 22 (1925) : 133-147.

HILL, A. A., *Introduction to Linguistic Structures*, N.-Y., Harcourt & Brace, (1958), 482 p.

HJELMSLEV, L., « Essai d'une théorie des morphèmes ». *Actes du 4e Congr. intern. de Ling.* (1936) : 143-144.

HJELMSLEV, L., *Omkring Sprogteoriens Grundlaeggelse*. Festskrift udgivet af Københavns Universitet 1943 (p. 5-112).

HJELMSLEV, L., « Rôle structural de l'ordre des mots ». *Journal de Psychologie* 43 (1950) : 54-58.

HJELMSLEV, L., (trad. WHITFIELD, F. J.), *Prolegomena to a Theory of Language*. Suppl. to *IJAL* 19, 1 (1953).

HJELMSLEV, L., « Structural Analysis of Language ». *Studia Linguistica* I, 2 (1947) : 69-78.

HJELMSLEV, L., & ULDALL, H. J., « Outline of Glossematics ». *TCLC* vol. X-1 (1957), 87 p.

HOCKETT, C. F., *A Course in Modern Linguistics*. MacMillan, 1958.

HOCKETT, C. F., « Problems of Morphemic Analysis ». *Language* 23 (1947) : 321-343.

JAKOBSON, R. et alii, « Quelles sont les méthodes les mieux appropriées à un exposé complet et pratique de la grammaire d'une langue quelconque? » *Actes du 1er Congr. intern. de Ling.*, 1928 (1930) : 33-63.

JESPERSEN, O., *Language. Its Nature, Origin and Development*. London, Allen & Unwin, 1922.

JESPERSEN, O., « Substantives ». *General Course in Language (Language 1)*. U. of Chicago Press, 1949, 90-94.

JORDAN, L., « La logique et la linguistique ». *Journal de Psychologie* 30 (1933) : 45-46.

KARCEVSKI, S., « Introduction à l'étude de l'interjection ». *Cahiers F. de S.*, 1 (1941) : 57-75.

KERN, A. und KERN, E., *Praxis des ganzheitlichen Lesenlernens*. Freiburg im Breisgau, Verlag Herder, 1962 (zehnte Auflage), 168 p.

KORZYBSKI, A., *Science and Sanity*. The International Non-Aristotelian Library, (1950), 759 p.

LAGACHE, D., « La signification psychologique des pronoms de la première personne ». *Journal de Psychologie* 36 (1939) : 267-273.

LALANDE, A., « Conscience des mots dans le langage ». *Journal de Psychologie* 2 (1905) : 37-41.

LAURENCE, J.-M., *Grammaire française*. Montréal, Centre de Psychologie et de Pédagogie, (1957), 531 p.

LAZICZIUS, J., « La définition du mot ». *Cahiers F. de S.* 5 (1955) : 32-37.

MARTINET, A., « Structural Linguistics ». *Anthropology Today* (1953) : 576-586.

MARTINET, A., « Au sujet des fondements de la théorie linguistique de Louis Hjelmslev ». *BSL* 42 (1946) : 19-43.

MARTINET, A., *Éléments de linguistique générale*. Paris, Colin, (1960), 217 p.

MEYERSON, E., « La pensée et son expression ». *Journal de Psychologie* 27 (1930) : 497-543.

MIKUS, F., « La notion de valeur en linguistique ». *Lingua* III, 1 : 98-103.

MIKUS, F., « Quelle est en fin de compte la structure-type du langage? » *Lingua* III, 4 : 430-477.

MILLER, G. A., *Language and Communication*. N.-Y., McGraw-Hill, (1951), 298 p.

NEHRING, A., « The Functional Structure of Speech ». *Word*, 2.3 (1946) : 197-209.

NIDA, E. A., « The Analysis of Grammatical Constituents ». *Language* 24 (1948) : 168-177.

PALMER, F. R., « Linguistic Hierarchy ». *Lingua* VII (1958) : 225.

PEDERSEN, H., *Linguistic Developments in the XIXth Century*. Cambridge, 1931.

PERROT, J., *La linguistique*. PUF, « Que sais-je? » No 570, 132 p.

PIKE, K. L., « Taxemes and Immediate Constituents ». *Language* 19 (1943) : 65-82.

POTTIER, B., *Systématique des éléments de relation*. Étude de morphosyntaxe structurale romane. Paris, Klincksieck, (1962), 341 p.

RICHER, E., S. J., *La Glossématique ou le triomphe de la forme linguistique*. Univ. de Montréal, 1958, 90 p.

RICHER, E., S. J., « Un instrument de description fonctionnelle des langues : la théorie des *lieux linguistiques* ». *Revue de l'ACL*, 6.3 (1961) : 192-208.

RICHER, E., S. J., « *Lieux linguistiques* » *et latin classique*. Montréal, Centre Pédagogique des Jésuites Canadiens, 1962, 213 p.

ROSS, A. S. C., « The Fundamental Definitions of the Theory of Language ». *ALC* 3 (1944) : 101-106.

SAPIR, E., *Language*. N.-Y., (1949), 242 p.

SAUVAGEOT, A., *Français écrit, français parlé*. Paris, Larousse, (1962), 233 p.

SERRUS, C., *La langue, le sens, la pensée*. PUF, 1944.

SIERTSEMA, B., *A Study of Glossematics*. The Hague, Martinus Nijhoff, (1955), 226 p.

SNELL, B., *Der Aufbau der Sprache*. Hamburg, Claassen Verlag, (1952), 221 p.

STURTEVANT, E. H., *An Introduction to Linguistic Science*, New Haven, (1947), 173 p.

TESNIÈRE, L., *Éléments de syntaxe structurale*. Paris, Klincksieck, (1959), 670 p.

TOGEBY, K., *Structure immanente de la langue française*. *TCLC* VI (1951), 278 p.

ULDALL, H. J., « On Equivalent Relations ». *TCLC* V (1949).

VILDÉ-LOT, I., « Sujet et prédicat ; Fonctions grammaticales, d'après trois articles récents. » *Le français moderne* 31.2 (1963) : 121-136.

VON WARTBURG, W., *Précis de syntaxe du français contemporain*. Berne, Francke, (1947), 377 p.

WAGNER, R.-L., « De l'analyse et de la comparaison en linguistique ». *Journal de Psychologie* 45 (1948) : 374-383.

WAGNER, R.-L., *Grammaire et Philologie*. Paris, CDU, s.d., 192 et 56 p.

WAGNER, R.-L., *Grammaire du français classique et moderne*. Paris, Hachette, (1962), 611 p.

WELLS, R. S., « Immediate Constituents ». *Language* 23 (1947) : 81-117.

WHATMOUGH, J., *Language*. A Mentor Book, MD 209, 234 p.

WHITNEY, W. D., *La vie du langage*. Paris, Germer Baillère, (1877), 262 p.

WHORF, B. L., *Language, Thought and Reality*. Press of MIT, N.-Y., John Wiley & Sons, (1956), 270 p.

INDEX DES TERMES ICI EMPLOYÉS

avec indication des *paragraphes* où il en est spécialement question et des termes correspondants en *nomenclature traditionnelle*

FONCTION En ou de notation	3.1.4.3 3.2.2 3.3.8 3.4.1.5 3.4.4.3	Conjonction de subordina- tion Préposition Pronom relatif
FONCTION I ou de procès	3.1.1 3.4.1	Verbe
FONCTION I EN FONCTION NODALE	3.4.1.5	Proposition subordonnée sujet
FONCTION I EN COMPLÉMEN-TARITÉ SYNTAXIQUE	3.4.1.5	Proposition subordonnée complément d'objet direct Proposition subordonnée circonstancielle
FONCTION I INSÉRÉE	3.4.1.9	Proposition incise
FONCTION I JUXTAPOSÉE	3.4.1.10	Proposition juxtaposée
FONCTION I MAÎTRESSE	3.4.1.5	Proposition principale
FONCTION I RATTACHÉE À UNE AUTRE FONCTION I	3.4.1.5	Proposition subordonnée
FONCTION O ou de dénomination	3.1.2 3.4.2	Substantif Infinitif Pronoms démonstratif, pos-sessif, interrogatif, indéfini
FONCTION O EN FONCTION NODALE	3.4.2.2	Substantif sujet de verbe
FONCTION O EN COMPLÉMEN-TARITÉ SYNTAXIQUE	3.2.2	Compléments direct, indi-rect, circonstanciel Substantif attribut
FONCTION O INSÉRÉE	3.4.2.4	Apostrophe Interjection

INDEX ANALYTIQUE

TABLE DES MATIÈRES

Deuxième partie

INTRODUCTION À L'ANALYSE DU FRANÇAIS CONTEMPORAIN

Troisième partie

ÉTUDE DES FONCTIONS GRAMMATICALES DU FRANÇAIS

Quatrième partie
INTELLIGENCE ET DESCRIPTION DU FAIT LINGUISTIQUE FRANÇAIS

Imprimé en Belgique

ACHEVÉ D'IMPRIMER SUR LES PRESSES
DE L'IMPRIMERIE SAINT-AUGUSTIN
À BRUGES LE 27 AOÛT 1964
POUR LES ÉDITIONS
DESCLÉE DE BROUWER